Diana
Dernières Confidences

Simone SIMMONS
avec la collaboration de Ingrid SEWARD

Diana
Dernières Confidences

Traduit de l'anglais
par Pascal Loubet

L'édition originale de cet ouvrage a été publiée par Orion sous le titre
The Last Word

© Simone Simmons, Ingrid Seward, 2005.

© Éditions Michel Lafon pour la traduction française, 2005
7-13 bd Paul-Émile Victor, île de la Jatte
92521 Neuilly-sur-Seine

À ceux qui nous sont proches
et se trouvent en un lieu bien meilleur

NOTE DE L'AUTEUR

Diana était de ces femmes capables de comparti-
menter leur existence. Il arrivait que les différentes
parties de sa vie se chevauchent mais, dans son esprit,
elles restaient toujours séparées, ce qui lui permettait de
passer de l'une à l'autre sans heurt. Ainsi elle fut une
princesse, et en même temps une mère, une maîtresse et
une ambassadrice inlassable d'œuvres caritatives.

Diana fut aussi l'une de mes plus proches amies, et
nous discutions de tout, comme deux copines, sans le
moindre secret ni subterfuge.

Avec moi, Diana donnait libre cours à ses pensées
– oui, elle me disait tout, et seules les femmes se livrent
à des confidences de ce type, jamais les hommes. Elle
répétait souvent : « Simone, s'il m'arrive quoi que ce
soit, écris un livre qui racontera tout, sans fioritures. »

C'est ce que j'ai fait.

– 1 –

JFK

Derrière les regards timides, les sourires radieux et parfois les larmes, le glamour et les bonnes œuvres qui contribuèrent à façonner son image publique, étaient tapies les passions qui firent de Diana une femme exceptionnelle.

Si elle désirait être aimée, elle souhaitait plus que tout *donner* de l'amour. Aux malheureux et aux défavorisés ; à ses fils, William et Harry ; à son époux, le prince Charles, s'il avait seulement accepté ; et aux hommes avec lesquels elle entretint des liaisons.

Je le sais, car Diana me l'a dit. Assise par terre, sur le rebord de son lit, sur un canapé ou dans la cuisine, tandis que nous grignotions des plats livrés de chez l'Italien ou des en-cas passés au micro-ondes, tout en buvant d'innombrables tasses de tisane, nous discutions durant des heures de ses espoirs, de ses désirs, de ses centres d'intérêt et de ses histoires d'amour. Elle ne dissimulait rien. Elle était bien trop sincère, trop franche pour réprimer ses sentiments. Si un projet retenait son attention ou un homme son regard, elle en parlait, sans omettre le moindre détail.

Et, comme cela arrive lorsque deux amies dialoguent, un sujet menait aisément à un autre. C'est ainsi qu'elle me parla de son aventure avec John Kennedy Jr.

Diana et moi étions dans le salon du palais de Kensington. Elle portait des bottines en daim beige, élégantes mais confortables, un jean et un pull en cachemire à col en V qui coûtait une fortune. Pour changer, nous étions assises sur le canapé plutôt que par terre lorsqu'elle évoqua une femme qui forçait son admiration : Jackie Kennedy Onassis. Elle s'étonnait du fait que cette grande dame ait choisi d'épouser Aristote Onassis, « ce crapaud grec », comme elle disait, surtout après avoir été mariée à John Kennedy.

Diana décrivait le défunt président comme un homme « délicieux », et la conversation glissa sur son fils, John Kennedy Jr.

Elle me demanda ce que je pensais de lui. Je n'avais aucune opinion sur John-John, ne le connaissant pas. Sur ce, elle sortit une photo de lui découpée dans l'un des journaux qu'on lui livrait chaque matin, et lâcha :

– Il est bel homme, n'est-ce pas ?

Elle l'avait rencontré à New York en 1995, alors qu'il avait tenté de la convaincre d'accorder une interview à son magazine, *George*. Elle avait décliné l'entretien, néanmoins elle avait accepté de le recevoir dans sa suite du Carlyle Hotel, dans l'Upper East Side.

Diana séjournait dans l'une des vastes suites en penthouse dont les larges baies donnaient sur Central

Park et dominaient tout Manhattan, jusqu'aux Twin Towers. Les pièces de l'appartement, dont l'une comportait un piano à queue, étaient meublées avec l'élégance d'une maison particulière au lieu du style passe-partout qui prévaut dans les établissements hôteliers. Il lui en coûtait 3 200 dollars la nuit, ce qu'elle trouvait excessif.

Lorsque John Kennedy Jr arriva, Diana fut conquise par son charme, son aisance typiquement américaine et un physique qu'il se donnait beaucoup de mal à entretenir. Elle conclut ainsi :

— Nous avons commencé à discuter et, de fil en aiguille, nous nous sommes retrouvés au lit. C'était une parfaite alchimie.

Diana était généralement très circonspecte dans ses liaisons et les abordait avec prudence, tenant à connaître son partenaire et à analyser ses propres sentiments, afin de savoir si elle était prête à s'engager au plan affectif avant de se livrer sexuellement.

Diana avait donné à la famille royale britannique quelque chose qui lui faisait cruellement défaut : du sex-appeal. Si Charles était Fred Astaire, elle figurait une Ginger Rogers idéale, qui auréola de séduction et de romantisme une institution terne et poussiéreuse. Et, à mesure que la jeune épousée timide se métamorphosait en femme radieuse, elle se mit à apprécier l'effet qu'elle produisait sur les gens et la manière dont les hommes la regardaient. Malgré son évolution, elle conserva une espèce de naïveté d'ingénue : quoique capable de flirter de manière scandaleuse, elle affichait une innocence stupéfiante. Toutes les femmes ne sont pas conscientes de leur sexualité et, en règle générale, Diana ignorait qu'elle possédait le moindre sex-appeal.

Avec John Kennedy Jr, ce fut différent. Diana s'était sentie désirable, sensuelle et vraiment femme. Elle avoua que cela avait été un moment de pur désir charnel, et que jamais auparavant elle n'avait ainsi succombé à la tentation.

J'en restai sans voix. À l'époque des faits, elle fréquentait Hasnat Khan depuis peu et, bien qu'il n'y ait eu entre eux aucun véritable contact physique, elle en était très éprise. J'aurais cru que cette idylle naissante était au moins exclusive.

– Quoi ? m'écriai-je. Vous plaisantez, n'est-ce pas ?

– Non, pas du tout. C'est vraiment arrivé. Et c'était un amant extraordinaire. Dix sur dix. Le summum.

Diana se plaisait à noter les hommes de sa vie. James Hewitt avait reçu neuf sur dix, Oliver Hoare six. Elle épargna à Hasnat Khan l'affront d'une note. Quant au prince Charles, il se hissa à grand-peine à la dixième place du palmarès.

Ce tête-à-tête avec JFK Jr avait comblé Diana de bonheur : pour une fois, elle avait conquis quelqu'un (en dehors d'Hasnat) qu'elle désirait, et n'en avait pas été la proie. C'était un trophée de plus et elle rosissait de plaisir à l'idée d'avoir séduit JFK, l'un des partis les plus convoités d'Amérique, doté d'un physique exceptionnel – résultat d'innombrables heures passées à la salle de gym. Il avait un an de plus qu'elle et la dépassait d'une tête, ce qui comptait beaucoup, car Diana n'aimait pas les petits.

Leur brève liaison bénéficia d'une dimension supplémentaire, car elle lui vouait une réelle admiration, eu égard à la manière dont il assumait son lourd héritage familial. À propos de son fils aîné et des responsabilités qu'il serait amené à endosser un jour, Diana répétait :

— J'espère que William se révélera aussi doué que John Kennedy Jr, qu'il gérera sa situation aussi habilement que lui.

Diana étant ce qu'elle était, elle comptait naturellement poursuivre cette relation. Elle entrevoyait le formidable tandem qu'elle aurait pu constituer avec John-John, et comment, « si tout se passait bien », elle aurait pu faire partie de la « famille royale » américaine. Lors d'un voyage à Washington, elle avait visité la Maison-Blanche et m'avait déclaré à son retour :

— J'adorerais y vivre.

Si Kennedy suivait les traces de son père et entamait une carrière politique, comme tout le monde s'y attendait, elle se voyait bien devenir la Première Dame des États-Unis.

Aujourd'hui, je regrette de ne pas l'avoir questionnée davantage, mais la conversation passa à Grace Kelly. Diana était convaincue, même si elle n'en avait aucune preuve, je le souligne, que l'ancienne star de cinéma avait été assassinée après avoir laissé entendre qu'elle comptait divorcer de son mari, le prince Rainier de Monaco. Diana s'identifiait à Grace, jeune fille relativement ordinaire devenue princesse.

Jackie Kennedy lui inspirait des sentiments similaires, puisqu'elle avait épousé un coureur de jupons et réussi à incarner sur la scène internationale l'élégance et le bon goût. Selon elle, Jackie avait été une parfaite épouse d'homme d'État, rôle qu'elle s'imaginait pouvoir tenir avec style et dignité auprès de son fils.

Quand elle revint en Angleterre, Diana fit dresser le thème astral de John-John et découvrit que, en raison de son signe, Sagittaire, identique à son ascendant à elle, ils étaient compatibles à bien des égards, mais pas assez pour envisager une relation.

John Kennedy Jr avait une haute opinion de la princesse, qu'il décrivait à ses amis comme « belle, fascinante et stimulante ». Ils restèrent en contact quelque temps ; elle lui téléphonait longuement. Mais il est toujours difficile d'entretenir une relation à distance et ils ne se revirent pas. Elle avait plus d'amour à donner que ne peut en recevoir un homme et, au final, je pense qu'il dut la trouver trop pressante.

— Vous le voulez auprès de vous vingt-quatre heures sur vingt-quatre et sept jours sur sept, mais, soyez lucide, objectai-je, à moins de vivre aux États-Unis — et encore, j'en doute —, c'est impossible.

Diana se résigna à cet état des choses et, au lieu de rêver à un hypothétique avenir, prit cette brève liaison avec John Kennedy Jr pour ce qu'elle était : un flirt passionné. L'année suivante, il épousa Caroline Bessette et Diana lui envoya ses vœux de bonheur. Elle espérait que ce mariage serait plus heureux que le sien. Entre-temps, bien sûr, elle s'était profondément éprise d'Hasnat Khan, qui refusait de consommer leur union tant qu'elle n'avait pas divorcé.

Cependant, je ne peux m'empêcher de me demander... Que serait-il arrivé si John Kennedy Jr avait été en mesure de répondre à ses attentes ? Aurait-elle supporté la pression d'être l'épouse d'un Kennedy ? Peut-être seraient-ils en vie l'un et l'autre aujourd'hui...

– 2 –

MA RENCONTRE AVEC DIANA

Diana était l'une des personnes les plus mal dans sa peau que j'aie connues. Ses souffrances intérieures la conduisaient à chercher soulagement et réconfort de manière très curieuse et il n'y a pas de thérapie qu'elle n'ait essayée à un moment de sa vie.

Certaines lui furent indubitablement bénéfiques. D'autres de pures charlataneries. Quelques-unes furent carrément pires que le mal lui-même.

Superficiellement, bien sûr, il semblait que tout allait pour le mieux. Mais comme bon nombre de femmes célèbres à qui la réussite sourit et qui se trouvent sous les feux des projecteurs, cela ne lui suffisait pas.

C'est pour essayer de combler ce vide intérieur qu'elle ne cessait de passer d'un traitement à un autre, toujours insatisfaite, et de chercher des réponses à ses problèmes. Diana était convaincue qu'il lui manquait quelque chose de vital. Elle s'infligea tous ces pseudo-remèdes pour essayer de se débarrasser du tourment qui la minait depuis son enfance, convaincue qu'ils finiraient par dissiper sa souffrance comme par magie.

Cette recherche l'amena à la clinique Hale de Regent's Park, où j'exerçais comme praticienne holistique. Je lui avais été recommandée par un confrère et elle venait de subir un lavement lorsque nous fîmes connaissance.

Après les présentations officielles, elle éclata de rire et m'enjoignit de l'appeler « tout simplement Diana ». Je lui proposai donc de m'appeler « tout simplement Simone ».

Je n'avais aucune idée préconçue sur la princesse. C'était la femme la plus photographiée au monde — dotée de l'allure, de la beauté et de l'éclat que seuls procurent les meilleurs soins esthétiques —, mais pour moi, quel que soit son statut, elle demeurait un être humain. Diana était une patiente comme les autres et je l'ai toujours traitée ainsi — professionnellement et personnellement. Personne ne m'intimide. Je juge les gens sur ce qu'ils sont, et non sur ce qu'ils paraissent ou sont censés être.

Nous passâmes dans le cabinet qui m'était dévolu au dernier étage. C'était une petite pièce sans fioritures, très dépouillée, avec juste assez de place pour une table, un bureau, deux chaises et un lampadaire.

Je lui demandai si elle ne voyait pas d'inconvénient à ce que je retire les chaussures que venait de m'offrir ma mère et qui me meurtrissaient les pieds.

— Pas du tout, répondit-elle en ôtant les siennes et en m'expliquant qu'elle était bien plus à l'aise ainsi et préférait marcher pieds nus lorsqu'elle en avait la possibilité.

Sans plus de préambules, elle enleva sa veste à fines rayures bleues, la posa soigneusement sur le fauteuil et s'allongea sur la table. Je baissai l'éclairage et expliquai qu'il valait mieux que nous gardions le silence durant la séance. Je découvris très vite que ce n'était pas facile pour elle. Diana était vulnérable, comme un petit oiseau blessé tombé du nid, et cette souffrance intérieure s'exprimait dans son énergie nerveuse.

Cependant, en cette première occasion, nous parvînmes à terminer sans trop d'interruptions. Au bout d'une demi-heure, elle se redressa, déclara qu'elle était un peu étourdie, mais qu'elle avait l'impression que je lui avais ôté un grand poids.

— Qu'avez-vous découvert ? demanda-t-elle.

Je lui expliquai que j'avais senti dans son aura de petites excroissances indiquant les points de stress. Elle hocha la tête, me remercia de mon efficacité et de l'amélioration de son état. Elle prit rendez-vous pour deux jours plus tard et déclara :

— Quand vous travaillez, vous avez un regard extraordinaire, comme émanant d'un autre monde.

Je répondis que, venant d'elle, c'était un compliment.

À sa deuxième visite, il était évident que Diana voulait parler, mais, comme nous nous connaissions encore peu, elle se refrénait. Pour la même raison, je jugeai plus sage de ne pas trop en dire. Elle m'expliqua qu'après notre première séance, elle avait senti quelque chose bouger dans son corps, mais qu'elle n'en avait pas parlé, de peur de monopoliser mon temps. Elle s'excusa très poliment et réussit même à cesser de remuer.

Cependant, quand je lui expliquai que je pouvais sentir son aura, ses résistances s'évanouirent et elle commença à poser question sur question. Cela devait devenir la règle durant nos séances.

Il n'y a rien de magique ni de mystique dans mon travail, fortement inspiré du reiki et d'autres disciplines holistiques, qui consiste à me brancher sur l'énergie électromagnétique que possède chaque être humain, puis à essayer de l'équilibrer, de réduire les « excroissances ». Il n'est pas nécessaire d'y croire pour que ce soit efficace : cela fonctionne tout aussi bien. J'ai traité de nombreux sportifs, dont un célèbre footballeur venu me voir pour un genou blessé sur la recommandation d'un grand entraîneur anglais. Il était sceptique, mais, au bout de six séances, il fut forcé de reconnaître que son genou allait mieux et qu'il pouvait reprendre l'entraînement.

Quoique plus ouverte à ces idées, Diana n'était pas une patiente facile. Dans l'idéal, nous aurions dû travailler en silence afin que je puisse me concentrer, les yeux fermés, tout en passant les mains à environ trente centimètres au-dessus de son corps pour tenter d'identifier les zones problématiques. Durant nos premières séances, notre relation étant formelle, tout se déroula convenablement. Elle fermait les yeux et il lui arriva même une fois de s'endormir.

Cependant, à mesure que nous faisions connaissance, elle eut de plus en plus de mal à rester coite et cela compliqua mes manipulations. Diana était une telle boule de nerfs que je ne parvenais à lui faire garder le silence que durant les dix premières minutes.

Après quoi sa langue se déliait, elle posait de nombreuses questions et ne demeurait pas tranquille bien longtemps.

Quand je la priais de ne pas parler, elle protestait avec véhémence : d'après elle, elle ne pourrait se détendre avant d'avoir exprimé l'idée qui la taraudait. Puis, à peine m'en avait-elle fait part qu'autre chose lui venait à l'esprit : elle se redressait et je devais la forcer à s'allonger de nouveau.

Une fois, la sonnerie de son mobile retentit. Il se tut rapidement, je n'y prêtai aucune attention et continuai. Mais l'appel l'avait troublée. Comme elle ne s'arrêtait plus de parler, je renonçai à lui prodiguer des soins, et lui demandai de s'asseoir et de boire un verre d'eau, en précisant que nous reprendrions un autre jour. Elle avait avec elle un gros sac Chanel très coûteux. À l'intérieur se trouvait un agenda Filofax épais et, en voulant le sortir pour notre prochain rendez-vous, elle fit tomber quatre autres téléphones.

Une autre fois, j'avais une boîte de pastilles pour la gorge, aromatisées au cassis, et je lui en donnai une pour tenter de l'apaiser... et lui couper le sifflet. À la fin de la séance, la boîte était vide.

Malgré les interruptions, Diana recueillait les bénéfices de nos séances. Les yeux fermés, elle devinait précisément l'emplacement de mes mains, même si je ne la touchais pas. Au terme de notre demi-heure, elle se sentait réénergisée et l'esprit très clair.

Plus que tout, Diana avait besoin de compter sur quelqu'un de compréhensif et capable de l'écouter. Ce n'était pas le rôle que je m'étais imaginé, mais au bout d'un certain temps, elle se mit à me considérer comme une figure maternelle. J'avais des vertus que peu de ses amies possédaient : des trésors de patience et beaucoup de temps. En outre, je lui disais exactement le fond de ma pensée, même si cela n'était pas à son goût. Mes propos ne lui plaisaient pas forcément, mais elle m'était reconnaissante de mon honnêteté.

Nous nous voyions trois fois par semaine et, très vite, Diana se mit à m'interroger sur l'aspect spirituel de mes soins et sur l'herboristerie. Certains jours, après une séance, elle ajoutait :

– Pourrions-nous nous asseoir et discuter un peu ?

Elle me demandait généralement ce que j'aurais fait dans telle ou telle circonstance. Ce n'étaient que des questions hypothétiques.

Parfois, non sans malice, elle utilisait le jargon d'autres thérapeutes ou me posait des questions sur des hommes en laissant clairement entendre que ceux-ci lui plaisaient ou lui étaient liés. Je la mettais en garde contre certaines personnes dont elle devait se méfier. À sa manière de parler de tel ou tel, je subodorais sans peine la nature de leurs relations.

Évidemment, elle s'étonnait du don manifeste que j'avais – et pour elle c'était un talent surnaturel – de « voir » les individus qui peuplaient sa vie. J'ignorais qui ils étaient au juste, car ce n'étaient pas que des figures publiques. Mais connaissant pour sa part leur identité, elle n'appréciait pas obligatoirement ce que j'en disais. Ce fut d'ailleurs la cause de notre première dispute.

Ce que je lui avais dit l'avait contrariée : la relation qu'elle entretenait avec un homme dont elle était éprise – et dont j'ignorais l'identité – ne se conclurait pas par un mariage et tout ne serait pas rose. Le lendemain, son secrétariat m'appela pour annuler tous nos rendez-vous. Furieuse, je la coinçai dans une salle lors de sa visite suivante à la clinique Hale, en lui disant :

– Puis-je vous dire un mot ? (Puis, tout aussi franchement :) Si vous avez un problème avec moi, dites-le-moi en face.

Elle se figea et rougit. Personne ne lui avait parlé ainsi depuis bien longtemps et je croyais que c'en était terminé, qu'elle ne m'adresserait plus jamais la parole. À vrai dire, je m'en moquais. Il fallait que les choses soient claires, car si Diana ne supportait que l'hypocrisie, je ne lui serais d'aucune utilité. Le processus de guérison repose sur la quête de la vérité, et quelqu'un qui ne peut affronter le réel et s'obstine à vivre dans son monde imaginaire n'a aucune chance de progresser.

J'avais fait mouche. Nous nous assîmes et Diana se détendit. Elle m'expliqua qu'elle n'avait pas l'habitude qu'on se montre aussi direct avec elle, qu'après avoir passé tant de temps à l'abri des murs d'un palais, elle avait presque oublié ce que c'était que d'entendre des gens lui dire ses quatre vérités.

– Les flagorneurs parlent par énigmes, me confia-t-elle. Ils tournent autour du pot, ils louvoient, sans aller jusqu'au bout.

Je ne fonctionnais pas ainsi. Je ne maîtrise pas l'art des circonlocutions. Avec moi, nul besoin de lire entre les lignes. Je m'exprime clairement et sans ambages. Être aussi « nature » n'est pas toujours un atout, bien sûr, et cela me coûta mon premier emploi, dans une boutique de prêt-à-porter. Le premier jour, une vendeuse insista pour qu'une cliente essaye une robe et, lorsqu'elle sortit de la cabine, la femme m'interpella :

— Vous êtes nouvelle ici, n'est-ce pas ? De quoi ai-je l'air, selon vous ?

— D'un sac avec une corde au milieu, répondis-je.

Elle fut tellement vexée qu'on me licencia sur-le-champ.

Dans le cas de Diana, cela eut l'effet opposé. Bien que de prime abord choquée, elle apprécia ma franchise sans détour. Je m'aperçus que, moi aussi, je pouvais m'ouvrir à Diana, qui avait une oreille très attentive et qui, en raison de ses propres problèmes, comprenait sans les juger les difficultés d'autrui. Par exemple, lorsque mon fiancé me trompa avec ma meilleure amie, elle compatit aussitôt, puisqu'elle connaissait une situation identique avec Camilla. Nous parlâmes de nos malheurs amoureux pendant des heures et des heures.

Les femmes sont ainsi. Je n'en connais aucune qui laisse passer une semaine sans s'épancher auprès d'une amie. L'amitié masculine obéit à des ressorts différents. Les femmes partagent leurs états d'âme, les hommes partagent un verre. Très peu d'entre eux expriment leurs émotions. La plupart des femmes, si. Les hommes

26

ne discutent pas au téléphone, les femmes, si. Les hommes sont capables de conclure une conversation en cinq minutes, alors que nous autres femmes aimons nous appesantir et deviser jusqu'à ce que nous soyons amplement satisfaites.

Ce jour-là, à la clinique Hale, nous pûmes nous exprimer l'une comme l'autre et cette première mise au point posa les jalons de notre amitié. Diana appréciait de plus en plus le fait que je lui donne une réponse directe lorsqu'elle en désirait une. Elle n'avait pas besoin de décrypter mes répliques comme si nous jouions à quelque jeu de société abscons. Quant à moi, j'en vins à apprécier sa compagnie et les confidences qu'elle me faisait sur sa vie. Elle devint ma meilleure amie.

Ce furent nos différences qui donnèrent tout leur piment et toute leur couleur à notre relation. Elle cherchait à tout savoir des gens et de leurs vies, à recueillir les potins sur ceux qui travaillaient ou fréquentaient la clinique. Elle n'était pas commère, juste curieuse. Elle désirait réellement apprendre ce qui se passait « là-bas, chez Tesco », comme elle disait.

J'habitais à l'époque au-dessus d'un supermarché Tesco à Hendon, dans le nord de Londres, et mes descriptions de la vie des gens ordinaires la fascinaient. Cette existence n'a rien d'exceptionnel : c'est celle de millions de gens.

En revanche, pour Diana, qui avait passé la plus grande partie de la sienne dans un manoir ou un palais, celle du peuple revêtait un intérêt fabuleux. Tout comme mon travail, d'ailleurs, et elle voulut savoir pourquoi je m'étais consacrée à la médecine holistique. Je lui expliquai que cela remontait à mon enfance : petite fille, déjà, je distinguais l'aura des gens au point de sentir s'ils étaient affectés par un mal quelconque. Oui, au début, cela m'avait troublée mais j'avais fini par me rendre compte que je possédais un don.

Ce fut en 1981, lorsque ma sœur Rachel fut victime d'un accident de la route, que je pris la mesure de ma vocation. La voiture avait fait un tête-à-queue, Rachel avait été éjectée et avait atterri sur le trottoir. La chute avait provoqué une lésion de la moelle épinière. Je rentrai aussitôt de l'étranger, me précipitai à l'hôpital et la trouvai dans le coma, où elle resta plongée durant des mois. J'allais la voir tous les jours et mes visites l'ont manifestement aidée. Rachel était branchée sur un appareil qui contrôlait ses pulsations cardiaques, lesquelles demeuraient régulières jusqu'à ce que je passe les mains au-dessus d'elle. Chaque fois, l'infirmière de garde remarquait le changement du rythme cardiaque.

– Rachel vous entend, me dit-elle.

Lentement mais sûrement, l'état de ma sœur s'améliora au cours des neuf mois qui suivirent.

Il se trouva que Diana avait vu ma sœur, lors d'une visite à l'hôpital dans le Northamptonshire, où Rachel devait entamer la longue route vers la guérison qu'elle n'a pas encore atteinte. Diana fut frappée par l'étrange coïncidence – ou peut-être y étions-nous prédestinées ? – qui nous avait rapprochées. Cela ne se fit pas du jour au lendemain non plus. Je n'étais pas capable de me fondre spontanément dans l'existence d'une princesse ou dans son milieu.

Car, même avant son mariage, Diana était une aristocrate. Je venais pour ma part d'une famille respectable de la classe moyenne. Elle était fille d'un comte qui avait autrefois servi la reine. Mon père, Harold, était un grand gaillard qui possédait à Old Street, dans la City, une petite fabrique de vêtements pour femmes fortes. Il était très fier d'avoir lancé un orchestre de jazz dans l'East End avec des amis, dont Ronnie Scott. Plus tard, celui-ci ouvrit son célèbre club de jazz à Soho ; mon père et lui ne se perdirent jamais de vue.

Très jeune, Diana avait été séparée de sa mère, Frances. Ma mère, qui portait le même prénom – autre coïncidence ? –, était une femme au foyer doublée d'une artiste. J'ai grandi dans une maison confortable et chaleureuse dans le quartier de Hendon. Certes, elle était vaste, mais ce n'était certainement pas le palais de Kensington.

Nos débuts dans la vie adulte avaient eux aussi été différents. Je m'intéressais à l'art et j'avais réussi à décrocher un poste de dessinatrice de mode (talent que m'avait légué ma mère), mais je m'étais déchiré le tendon d'un doigt lors d'une soirée plutôt mouvementée la veille de mon premier jour de travail. Comme je devais être opérée et subir trois mois de rééducation, je me fis embaucher dans l'hôpital. Le temps que mon doigt se remette, mon premier poste avait été attribué à une autre et je devins donc secrétaire médicale. En 1990, je me fracturai le bassin et je dus m'arrêter. Aussi, l'année suivante, pour gagner un peu d'argent, je commençai à pratiquer le reiki. Deux ans plus tard, j'ouvris mon cabinet à la clinique Hale, où je me suis occupée de Diana.

D'espacés, nos rapports se firent plus réguliers. Bientôt elle me téléphonait quotidiennement pour discuter de tout et de rien, y compris de l'actualité, pour laquelle elle se passionnait plus qu'on ne le supposait. Elle relevait les coupures de presse qui la concernaient et n'hésitait pas à s'étendre sur sa famille, le clan Spencer. Son père adoré, décédé en 1992 ; son frère, avec lequel elle était en termes plus ou moins bons, selon les cas ; son mari qui, malgré tous leurs problèmes et difficultés, demeurait au centre de sa vie ; sa mère, qu'elle détestait.

Diana emportait partout les problèmes que les Spencer lui avaient causés et, quelques mois après notre rencontre, elle me demanda si je « soignais » les maisons. Comme c'était dans mes capacités, elle me demanda de venir réharmoniser le palais de Kensington. Quelques jours après, je me rendis au KP, surnom que lui donnait Diana. J'y arrivai à 18 heures et fut accueillie par le majordome, Harold Brown, qui me fit patienter dans le salon. À cette époque, en 1995, le mariage de Diana était terminé et Charles avait quitté le palais, mais les lieux portaient encore son empreinte. Le motif de plumes du prince de Galles était partout – du papier peint des couloirs jusqu'aux parties communes, et même sur les tapis. Tout était impeccable. Deux employés philippins venaient chaque jour ôter tous les bibelots et livres des étagères avant de commencer à épousseter et à cirer les meubles. Mais cette atmosphère ne seyait guère à Diana. Elle la trouvait oppressante. Moi aussi.

Réaliser une intervention de réharmonisation dans une maison n'est cependant pas chose facile. Il faut chercher les poches d'énergie et essayer de les rééquilibrer. Je me comportais comme un « émetteur » et je repoussais les énergies en tendant les mains, paumes ouvertes, devant moi. Cela exige beaucoup de force personnelle. C'était d'autant plus épuisant que Diana voulait que je fasse tout en une seule fois, quand bien même ses appartements de KP étaient très vastes.

Je tentai de lui expliquer qu'il n'est pas évident de débarrasser une maison de ses énergies négatives, encore moins d'un seul coup.

— Vous plaisantez ! lui dis-je. Vous n'imaginez pas que je vais pouvoir faire tout cela en une soirée !

— Si, répondit-elle d'une voix fluette et enfantine.

Nous étions dans le grand salon où, huit ans auparavant, le présentateur de télévision sir Alastair Burnet avait interviewé le prince et la princesse de Galles pour une émission consacrée à leur vie. Je lui demandai par où elle voulait commencer.

— Pourquoi pas ici ? suggéra-t-elle.

Elle me proposa du thé, et je réclamai un mug, les tasses du palais étant minuscules. Après avoir siroté le breuvage, nous nous sommes mises au travail. Je fis le grand salon, son boudoir, puis je m'attelai à sa chambre.

Quel désastre ! L'ancienne chambre conjugale recelait des ondes négatives puissantes qui lui conféraient une atmosphère lourde. Il me fallut quarante minutes pour la chasser. Plus tard, Diana y entreprendrait des travaux de décoration et ajouterait une ravissante tête de lit capitonnée.

Après la chambre, j'étais épuisée, mais Diana tenait à ce que je m'attaque à l'ancien bureau de Charles, aux chambres de William et de Harry ainsi qu'à leur petite cuisine privée à l'étage. Les chambres des garçons ne présentaient pas de difficulté, mais quand j'en eus terminé, je dus faire une pause. Je n'avais pas la force d'aborder le reste de l'appartement.

La maîtresse des lieux, en revanche, se portait comme un charme. Elle déclara sentir d'ores et déjà les fluctuations énergétiques et voulait en profiter pour que je travaille également un peu sur elle. J'acceptai. Après cette séance éreintnte sur la maison, m'occuper de Diana ressemblait un peu aux séances d'étirement que suivent les sportifs après leur entraînement. Quiconque nous aurait surprises par la fenêtre aurait sans doute poussé des cris au drôle de spectacle de la princesse de Galles, vêtue d'une minijupe et d'une paire de collants, d'un cardigan et d'un tee-shirt, déchaussée, allongée sur une table basse du grand salon, tandis que je passais les mains au-dessus d'elle.

Quant à moi, j'avais mon compte. Je pris congé aussi vite que je le pus et rentrai directement à mon appartement de Hendon, au-dessus du supermarché Tesco, me couchai et appelai mes parents. Je confiai à ma mère ce que je venais de faire et où – et elle en resta stupéfaite.

Au début, ma mère considérait mon occupation professionnelle avec scepticisme. De temps en temps, quand j'étais adolescente, elle se fâchait et criait à mon père :

– Harold ! Ta fille est une sorcière !

Elle eut à peu près la même réaction le soir de ma première visite au palais de Kensington. Quand je lui racontai que je soignais la princesse de Galles, elle refusa de me croire.

— Mais, maman, c'est vrai ! protestai-je.

— Simone, enfin, tu es notre fille... Que vas-tu faire avec des gens comme cela ?

J'avais l'impression d'avoir de nouveau six ans.

Le lendemain, je rapportai à Diana la teneur de cette discussion. Elle trouva l'anecdote amusante et me fit remarquer que, même dans les familles les plus unies, les relations mère-fille se révèlent conflictuelles. Ma mère ne pouvait tout simplement pas accepter que je côtoie une célébrité comme la princesse de Galles. Dans son esprit, Hendon et le palais de Kensington ne gravitaient pas dans la même galaxie et la famille royale était composée d'intouchables qui ne frayaient pas avec le commun des mortels. Diana lui téléphona un jour pour lui confirmer qu'elle et moi nous connaissions réellement, mais cela ne suffit pas à la convaincre. Une autre fois, ma mère m'appela sur mon mobile alors que j'étais au palais. Quand je lui passai Diana, elle lui déclara :

— Comment puis-je savoir que vous êtes bien celle que vous prétendez ?

Quelques jours plus tard, Diana l'invita au palais de Kensington et c'est seulement là que maman admit que je ne lui avais pas menti.

L'incrédulité de ma mère n'affecta pas ma relation avec Diana. Elle continua de rechercher mon aide et, comme elle trouvait que c'était plus simple pour moi de venir la voir plutôt que l'inverse, mes visites au palais se firent de plus en plus fréquentes.

Les premiers temps, nous nous installions dans sa chambre, juste devant la méridienne couverte de coussins brodés et des peluches entassées au pied de son lit. Elle avait acheté une table pliante qu'elle rangeait dans la pièce voisine. Très vite, nos séances se déroulèrent dans n'importe quelle pièce où nous nous trouvions, Diana étant assez robuste pour transporter la table pliante, pourtant lourde, jusque dans la salle à manger du premier étage.

Harry, qui avait neuf ans quand j'ai fait la connaissance de Diana, était parfois présent en même temps que moi. Il n'a jamais assisté à nos séances, mais je le voyais notamment le dimanche après-midi ou durant les vacances scolaires, lorsque je passais bavarder ou prendre le thé avec sa mère.

Un jour, Diana me demanda de m'occuper de Harry, qui était fatigué. Nous allâmes dans le petit salon, Diana l'assit d'abord sur ses genoux, la tête blottie contre son cou, puis il s'installa ensuite entre nous sur le canapé.

Diana lui expliqua que cela ne faisait pas mal et qu'il allait vite se sentir mieux, mais l'enfant n'était pas inquiet. Je tournai les paumes vers lui et laissai l'énergie se diffuser en lui. Ce n'était pas une vraie séance, mais Harry apprécia qu'on s'occupe de lui, lui qui aimait tant se pelotonner dans les bras de sa mère. Diana espérait donner à ses deux fils le plus d'amour possible, et c'est notamment pour cela qu'elle me demanda si je pouvais lui apprendre à les réénergiser lorsqu'ils étaient mal en point ou abattus.

Je lui répondis que oui, car n'importe qui peut pratiquer une discipline de médecine holistique. Il n'y a rien de mystique là-dedans. Cependant, on doit être motivé – et pas par l'appât du gain. Il faut éprouver un amour inconditionnel pour l'humanité et vouloir aider autrui. Ensuite, il s'agit d'être capable de diffuser l'énergie positive dans la bonne direction. Pour cela, il suffit de se concentrer sur sa tâche.

Or à cet égard Diana éprouvait des difficultés. Elle se plaignait qu'elle n'y arrivait pas, qu'elle se laissait distraire. Il lui fallut longtemps pour maîtriser les techniques que je lui avais enseignées ; les autres types de médecine alternative auxquels elle s'adonnait ne devaient certainement pas lui faciliter les choses. Elle s'était imaginé qu'en suivant plusieurs « courants » en même temps, son état s'améliorerait plus vite. Certains jours, elle s'infligeait cinq séances successives de disciplines diverses. C'était absurde.

— Vous faites de l'acupuncture, de l'acupressure, du shiatsu, des lavements, des massages aromathérapeutiques, etc. C'est inutile ! m'exclamai-je. Tous ces soins s'annulent les uns les autres. Vous êtes complètement folle de dépenser autant d'argent. Vous n'êtes pas riche à ce point !

L'acupressure est une technique utilisant la pression des doigts pour stimuler les points d'acupuncture. Le shiatsu est une forme japonaise de massage approfondi sur ces mêmes points. L'un comme l'autre sont fondés sur la théorie du yin et du yang, de l'équilibre entre le féminin-passif et le masculin-actif. Ils peuvent se révéler très efficaces, mais Diana les enchaînait l'un après l'autre avec un effet antagoniste.

— Vous feriez mieux de ne rien tenter et de garder votre argent ! l'admonestais-je.

Mais Diana ne comprenait pas vraiment les questions d'argent et occulta le reste de mon argument. Les traitements holistiques étaient importants pour elle, car elle pensait qu'ils lui fourniraient les réponses qu'elle cherchait. Sous cette façade de glamour scintillante, ce n'est pas un secret, elle était très mal dans sa peau. Elle attirait l'attention du monde entier, mais elle n'avait qu'une piètre estime d'elle-même. C'est ce qui la conduisait à chercher le réconfort et à se rassurer dans les lieux les plus saugrenus. Elle désespérait de se comprendre et de pouvoir exprimer ce qu'elle appelait son « moi véritable ».

De 1993 à 1997, elle fut suivie par la psychothérapeute Susie Orbach. Durant ces cinq années, Diana fut constamment ramenée aux événements de son enfance et incitée à les analyser pour essayer de comprendre qu'elle n'était pas responsable de la rupture de ses parents.

Sur le court terme, ce travail se révéla bénéfique, mais selon moi, il n'est nul besoin de suivre une psychothérapie pendant cinq ans, surtout pas pour ressasser constamment les mêmes griefs. Une fois un problème identifié, si l'on accepte que tel ou tel événement appartient irrémédiablement au passé, la thérapie doit cesser. Cependant, Diana peinait à accepter les drames de sa jeunesse. Elle imputait tous ses malheurs présents à son enfance.

Pendant une courte période, elle fut suivie par Vasso Kortesis, une femme un peu spéciale qui s'asseyait sous des pyramides en plastique. Vasso lui avait été présentée par Fergie, qui la trouvait merveilleuse. Elle consulta également le guérisseur Jack Temple. Celui-ci se prévalait d'une clientèle nombreuse et triée sur le volet, car dans ce monde bizarre, dès que quelqu'un déniche un praticien qui semble efficace, la foule s'y précipite. Cherie Blair, l'épouse du Premier ministre britannique, comptait parmi ses ferventes admiratrices et Jerry Hall sollicita ses services après son divorce d'avec Mick Jagger. La duchesse d'York était également une fan, qui rédigea la préface de son livre en le remerciant de l'avoir libérée de ses « blocages énergétiques ».

Là encore, ce fut Fergie qui recommanda Temple à sa belle-sœur, et pendant un certain temps Diana fut séduite par ce qu'il lui offrait. Elle lui raconta qu'étant petite, elle s'était percé la joue droite avec un crayon et que la mine de plomb s'était cassée dans la chair. Utilisant ce qu'il appelait son « processus spécial d'extraction de plomb », il prétendit avoir retiré le poison de son corps. Il lui déclara également qu'elle avait été empoisonnée *in utero* par une carafe en cristal de plomb, ce qui était à l'origine de sa boulimie. Pour l'aider à surmonter ses difficultés, il lui offrit un cristal d'améthyste.

Temple, qui est mort en 2004, se qualifiait de « guérisseur radiesthésiste homéopathique ». À mes yeux, il était tout bonnement fêlé. Il prétendait pouvoir vous faire quitter le XXe siècle et voyager dans le temps en scotchant des fossiles au corps de ses clients.

Diana ne fit pas exception. Je la vis un matin revenant de chez Temple, dans le Surrey, où il avait construit un Stonehenge en miniature dans son jardin. Je ne pus m'empêcher d'éclater de rire : l'adhésif avait laissé des traces blanches sur les jambes de la princesse.

— Vous jouez au zèbre ? lui demandai-je.

Elle se sentit ridicule, et rit à son tour.

Diana essaya de m'expliquer que Temple lui avait dit que, avant l'arrivée de l'humanité, le monde n'était que pureté et innocence. Je lui fis remarquer qu'il n'était aussi que sauvagerie et chaos, ce qui battait en brèche les théories du guérisseur. Elle déboursait 150 livres (environ 220 euros) pour chacune de ses consultations. Je lui déclarai qu'elle se faisait escroquer et qu'elle payait des sommes effrayantes pour « voyager dans le temps » alors qu'elle aurait mieux fait de vivre sa vie et d'avancer. Nous sommes ici pour évoluer, pas pour régresser à l'âge de pierre, lui dis-je.

— Ce type vous a extorqué une fortune, lui assenai-je. Et c'est tout ce qu'il a fait ? Sérieusement, quel bienfait en retirez-vous ?

Elle avoua qu'elle n'avait ressenti aucun bienfait. Elle était très gênée. Elle suivit mon conseil et arrêta progressivement de courir tous les gourous de Londres. Elle prit également note de ce que je lui avais dit sur Temple et cessa de le voir.

Ce ne fut pas facile de la détourner de ces pistes douteuses. Le problème est que Diana recherchait quelque thérapie miraculeuse qui la soulagerait de toute sa souffrance. En réalité, elle essayait surtout de s'éloigner de KP et de la pression médiatique, puisqu'elle allait même consulter quand elle était heureuse. C'était une forme de fuite de la réalité qui s'apparentait à une drogue.

Elle finit par lever le pied, non sans avoir cher payé son imprudence. Temple était aussi absurde qu'inoffensif, mais quelques-unes des pratiques alternatives auxquelles Diana s'adonnait étaient nocives. Elle voyait un ostéopathe au moins une fois par semaine : c'était beaucoup trop et elle se mit à souffrir du dos et de migraines. Les radios révélèrent que ses vertèbres étaient usées par les manipulations trop fréquentes.

À l'automne 1996, ses douleurs à la nuque devinrent insupportables ; elle avait diminué sa consommation de somnifères et ne souhaitait pas revenir en arrière, si bien qu'elle était démunie. Je pris l'affaire en main.

Quelques années plus tôt, je m'étais fracturé le bassin en glissant sur une flaque de lait au supermarché. Les médecins diagnostiquèrent une lésion nerveuse dans la jambe gauche qui risquait de m'empêcher de remarcher correctement. Refusant cette fatalité, j'avais frappé à la porte du Dr Lily, une Chinoise qui, à l'époque, parlait très mal l'anglais, et qui était la plus remarquable acupunctrice qui soit. Elle me remit sur pied et, sur ma recommandation, Diana accepta de se fier à elle.

Diana était toujours ravie d'expérimenter des approches nouvelles. Cependant, cette fois, je savais qu'elle serait soignée par quelqu'un de compétent, que ce serait sans risques, pratique et vraiment efficace, le tout pour la modique somme de 25 livres (environ 37 euros).

Nous prîmes rendez-vous à l'AcuMedic de Camden Town, à Londres, où exerce le Dr Lily. Diana arriva dans une voiture avec chauffeur, très élégante, en jupe et chemisier. Tout le monde la reconnut, mais elle ne s'en soucia guère, tant elle était impatiente.

Elle avait apporté les radios qui montraient les lésions des cartilages de la nuque dues aux manipulations. Le Dr Lily y jeta un coup d'œil, prit le pouls de la jeune femme et lui examina la langue.

— Personne ne m'avait encore jamais demandé de lui tirer la langue ! s'exclama la princesse.

Après quoi le Dr Lily lui fit une démonstration en m'appliquant quelques aiguilles.

Selon les Chinois, le corps est parsemé de points de pression reliés entre eux comme les connexions d'un circuit électrique. Par exemple, un point situé entre le pouce et l'index est relié au système digestif, tandis que ceux de la région du pied régulent les fluides corporels et les hormones. On plante les aiguilles partout : jambes, poignets, mains, ventre, et parfois sur le sommet du crâne. Une fois qu'elles sont en place, il arrive que le Dr Lily les fasse pivoter un peu.

Je craignais que cela ne déplaise à Diana car, même si ce n'est guère pénible, je suis sensible à l'acupuncture et chaque aiguille m'arrachait un « aïe » sonore. Mais elle ne s'en formalisa pas. Elle trouva d'ailleurs cela drôle.

Quand ce fut son tour, elle s'allongea sur la table. Plus courageuse que moi, elle ne broncha pas, retenant seulement parfois son souffle lorsque le Dr Lily fichait les minuscules aiguilles dans ses jambes, ses mains et son crâne.

La première séance dura quarante minutes. C'était le début d'un traitement qui devait durer jusqu'à la fin de sa vie ; quelques jours seulement avant sa mort, Diana téléphona au Dr Lily pour lui dire qu'elle se sentait affreusement tendue et stressée, et qu'elle était impatiente de rentrer à Londres pour sa prochaine séance. Pour Diana, se rendre dans ce petit cabinet de Camden Town relevait de l'expédition. C'était un plaisir double, car le Dr Lily la rationnait : pas question de venir chaque jour !

L'acupunctrice était également très stricte dans d'autres domaines. Horrifiée d'apprendre que Diana s'infligeait de fréquents lavements, elle lui déclara que ce n'était pas naturel de subir des jets d'eau dans le corps qui repoussaient les toxines dans les intestins et endommageaient les muscles du sphincter. Diana prit un air penaud et promit de les diminuer, ce qui valait mieux : si la majeure partie des adeptes se limite à un lavement tous les six mois, elle en réclamait jusqu'à trois par semaine.

Diana ne mettait pas de bornes à son enthousiasme. Voulant tout savoir de l'acupuncture, elle bombarda le Dr Lily de questions. Pourquoi enfonce-t-on telle aiguille à tel endroit ? À quoi sert la prise du pouls ?

L'apparente jeunesse du Dr Lily l'intriguait également. Cette praticienne avait la cinquantaine, mais ne paraissait guère plus de trente-cinq ans. Elle n'avait pas la moindre ride et Diana, qui avait un peu plus que la trentaine et commençait — comme toutes les femmes de son âge — à redouter de vieillir, la cuisina sur ses secrets de beauté.

Afin de trouver des réponses à ces interrogations, elle collectionna les ouvrages sur la médecine chinoise et les énergies corporelles.

— La médecine chinoise à cinq mille ans et la nôtre ne s'est développée que depuis un siècle et demi ! arguait-elle. Ils sont forcément en avance sur nous.

Au fil de ses lectures, elle devint experte sur la question – du moins le croyait-elle. Elle m'appelait en prétendant diagnostiquer son entourage, se figurant pouvoir identifier les maux des gens à partir d'une simple photographie.

Elle montra au Dr Lily des clichés du prince Charles et lui demanda pourquoi il se dégarnissait aussi vite. Elle apporta également des portraits de la princesse Margaret, du prince Philip et même de la reine. Le Dr Lily ne s'en émut guère.

Un beau jour, elle décréta que Nelson Mandela avait des problèmes de rate et de reins, et elle lui en fit part lors de sa visite en Afrique du Sud, en 1997, alors qu'il souffrait d'une inflammation du coude. Mandela avait de l'affection pour Diana, mais Dieu sait ce qu'il pensa de son diagnostic !

Elle recommanda également à John Major, le Premier ministre de l'époque, de veiller à son cœur et ses reins. Il se contenta d'en rire et prit ce conseil pour une plaisanterie, alors que la princesse était tout à fait sérieuse.

Diana retira des bénéfices évidents de l'acupuncture, qui soigna la cause et non seulement les symptômes de ses maux. Elle se sentit d'abord mal, puis rapidement elle dormit mieux et, progressivement, à l'aide des gélules d'herbes que lui prescrivit le Dr Lily, elle parvint à ne plus dépendre des somnifères. Nous avions trouvé une solution pratique à certains de ses problèmes.

En revanche, elle ne perdit jamais le désir – qui frisait l'obsession – de savoir ce que lui réservait l'avenir. Elle voulait connaître semaine après semaine, et même jour après jour, tout ce qui allait lui arriver, afin de pouvoir se préparer au pire.

C'était l'origine de sa curieuse passion pour l'astrologie et la voyance. Pour certains, il s'agit de distractions inoffensives, mais Diana y ajoutait foi. Elle s'était entichée de Penny Thornton, qu'elle congédia lorsque celle-ci déclara publiquement qu'elle était son astrologue personnelle. Elle se tourna alors vers Debbie Frank pour étudier les thèmes et mouvements des planètes, notamment sur le plan sentimental.

Mais elle ne s'intéressait pas qu'à elle-même. Elle voulait savoir ce que l'avenir réservait aux princes William et Harry, ou ce qu'il en serait de la santé de Charles, qui la préoccupait toujours beaucoup.

Et elle demandait chaque fois si Fergie connaîtrait une destinée heureuse. Elle l'aimait vraiment beaucoup et disait qu'elles étaient des « sœurs spirituelles ». Mais l'amitié repose sur la confiance et, lorsque le majordome Paul Burrell se rapprocha de la princesse, il sema la zizanie entre les deux femmes.

Par exemple, Burrell lui racontait que des amis l'avaient appelée d'Amérique pour lui rapporter des propos que Fergie avait tenus à son endroit sur un plateau de télévision. Quand Diana lui demandait dans quelle émission Fergie s'était épanchée sur son compte, il prétextait un trou de mémoire, et il n'y avait donc aucun moyen de confirmer ou d'infirmer ses dires. Diana s'efforçait alors de corroborer sa version des faits en passant des appels à des connaissances outre-Atlantique. Le problème, c'est qu'elle le croyait, ce qui provoquait de nombreuses frictions entre elle et Fergie, tout en donnant à Burrell une emprise sur Diana.

Il traitait les autres de la même manière, moi y compris. Après la mort de sa mère, Paul prétendit avoir acquis le don de voir l'avenir et Diana le rebaptisa non pas « mon roc », comme il le dit dans son livre, mais « Paul l'extralucide ». Quand il répondait au téléphone, il demandait : « Puis-je prendre un message ? » Puis il disait à Diana que telle personne avait appelé et ajoutait : « Je crois savoir à quel sujet. » Bien sûr, il le savait très précisément, puisque son interlocuteur n'en avait pas fait mystère !

Diana finit par voir clair dans ses agissements, mais cela ne refréna pas son engouement pour les arts divinatoires.

Elle conservait dans un petit sac de toile une collection de pierres gravées de runes. Elle s'asseyait par terre, me demandait de me détendre et de penser à ce qui m'entourait. Puis elle prenait les pierres, les éparpillait sur le tapis (elle tenait à le faire elle-même), me priait de fermer les yeux et de me concentrer, et elle commençait à les déchiffrer. Elle était ravie lorsque ses prédictions se vérifiaient, ce qui, je dois l'avouer, était toujours le cas.

— Vous voyez, quand je vous le disais ! triomphait-elle.

Elle était également convaincue que certaines pierres possédaient des propriétés magiques qui pouvaient influencer la chance. Quelques années après notre première rencontre, elle me demanda s'il y avait moyen de réénergiser les pierres précieuses et les cristaux.

— Il suffit de les plonger dans un bol d'eau salée, de les y laisser tremper un mois et de les ressortir à la prochaine lune ! répliquai-je.

— J'ai acheté deux livres sur les cristaux, qui affirment qu'on doit les enterrer, répondit-elle.

Et c'est exactement ce qu'elle fit avec plusieurs pierres précieuses, dont un splendide saphir.

Un jour que Burrell nous servait pour déjeuner des pâtes et de la salade sur la table ronde en noyer, dans la salle à manger aux murs peints en vieil orange, elle sortit soudain de sa poche une pierre énorme et m'invita à la toucher.

Je la pris et Diana m'expliqua qu'elle adorait ce joyau, mais qu'elle éprouvait une impression de malaise à son contact. Elle était convaincue qu'il lui portait malheur, et bien de souvenirs désagréables lui étaient associés.

Je lui suggérai de la plonger dans de l'eau salée et de la poser sur le rebord de la fenêtre.

— C'est impossible, objecta-t-elle. En voyant cela, le personnel se moquerait de moi et penserait que j'ai perdu la boule !

Il s'agissait d'un gros saphir ovale, autrefois monté sur un collier que lui avait offert la famille royale saoudienne.

Elle me le reprit, le plaça sur la table, me servit de la salade et ajouta :

— J'irai l'enterrer plus tard dans le jardin clos.

On voyait ce jardin depuis les fenêtres de la salle à manger. Le problème, c'est que la princesse Michael de Kent (née en Autriche et élevée en Australie) le voyait aussi, puisqu'elle habitait l'appartement voisin. Les deux femmes étaient à couteaux tirés. Diana l'espionnait avec ses jumelles d'opéra. Elle était convaincue que le « Führer », comme elle la surnommait parfois, en faisait autant.

Je quittai le palais à 15 h 30 ce jour-là tandis que Diana partait pour Saint James Palace signer des documents. Ce soir-là, elle m'appela pour m'annoncer qu'elle avait enterré le saphir.

Un mois plus tard, elle alla le déterrer. Hélas, il n'était plus là. Affolée, elle me téléphona pour m'expliquer qu'il s'était volatilisé, comme par enchantement.

Elle ne sut jamais ce qu'il était advenu du bijou et, en toute honnêteté, je ne crois pas qu'elle s'en souciait beaucoup. Se fût-il agi d'un joyau offert par sa belle-famille, cela aurait causé un énorme scandale. Et si la photo d'un amant ou un objet relatif à ses enfants avait disparu dans les mêmes circonstances, elle aurait été au comble du désespoir. Personne d'autre ne semblait avoir remarqué la disparition de l'inestimable saphir et, pour Diana, ce n'était qu'un caillou parmi d'autres. Elle aimait les posséder et les porter, mais elle n'en faisait pas grand cas. Elle s'intéressait plus à leur histoire qu'à leur valeur. Un moyen plus qu'une fin, comme les médiums et les astrologues.

Elle tenait en haute estime la médium Rita Rogers. La première fois, Diana alla la consulter pour tenter de contacter outre-tombe le père qu'elle adorait ; à l'entendre, elle avait été fascinée par les détails intimes que Rita releva au sujet de leur relation. Elle lui rappela des événements de son enfance que Diana avait occultés et lui transmit des messages du comte Spencer, disparu en 1992.

On ne peut jamais aller bien loin dans ce domaine et Rita finit par tomber en disgrâce, même si Diana garda le contact avec elle. Je ne cessais de souligner devant Diana qu'un médium ou une voyante ne peut pas réussir indéfiniment, même si on place toute sa foi en lui. Que ce n'est pas un robinet qu'on ouvre ou qu'on ferme à l'envi. Ils sont capables de discerner un schéma global, pas de deviner les moindres événements. On consulte un médium tous les ans ou tous les deux ans, mais pas toutes les semaines ou tous les quinze jours, comme le faisait Diana. La voyance dominait sa vie et elle se droguait aux sciences parallèles.

J'essayai de lui expliquer qu'elle ne devait surtout pas se reposer sur les dires d'un médium, d'un astrologue ou d'un voyant, qu'elle devait prendre son destin en main, mais elle faisait la sourde oreille. Invariablement, lorsque les choses se gâtaient, comme c'est parfois le cas, elle le reprochait au médium plutôt qu'à elle-même. C'était sa manière de répartir les responsabilités, et elle était très douée pour cela.

Et, bien sûr, ils se trompaient, sans exception. Aucun des astrologues ou voyants ne prédit son divorce. Tous affirmaient qu'elle se réconcilierait avec le prince. Au fond, ils lui racontaient ce qu'elle avait envie d'entendre. J'étais la seule à l'exhorter à affronter la réalité en face. Pour moi, son union était bel et bien dissoute et il était trop tard pour une réconciliation.

Je le lui répétai notamment après l'interview à l'émission *Panorama*. Je lui déclarai que si la vérité était peut-être douloureuse, les demi-vérités et les mensonges vous font non seulement souffrir, mais n'offrent que de cruelles désillusions.

Cela ne l'empêcha pas de continuer. Cependant, elle eut beau multiplier les recours paranormaux, elle ne parvint jamais tout à fait à calmer l'angoisse profonde qui la rongeait ni à dissiper le désenchantement qui la minait. Pourtant, paradoxalement, ce fut grâce à sa passion pour les thérapies alternatives qu'elle rencontra celui qui devait rester l'amour de sa vie : Hasnat Khan.

– 3 –

CHARLES

C'est souvent dans la chambre que les mariages tournent court. Celui de Diana ne tourna jamais rond.

Nous en parlâmes pendant des heures, en buvant des tasses de thé innombrables sur le parquet de son petit boudoir, lorsqu'elle était allongée sur la table de soin, au déjeuner et au dîner ou au téléphone.

Il lui fallut un moment avant qu'elle ne se livre, mais elle ne résista pas longtemps au désir de me faire part de sa version des faits. Elle voulait se confier et cela n'avait rien d'anormal. C'était même naturel pour une femme. En étant sincère et franche, elle cherchait à se décharger de la culpabilité et de l'incertitude qui l'accablaient depuis des années devant l'échec de son couple.

Ce fut une bien triste histoire qu'elle me narra et c'est dans les détails que se trouvent les racines de l'insatisfaction qui finirait par détruire son ménage. Le cœur du problème était à chercher dans la remarque qu'elle me fit un jour devant une tasse de camomille.

Charles, déclara-t-elle, « ne connaissait rien à la géographie féminine ».

Elle ajouta que si elle avait été plus âgée et plus expérimentée, elle en aurait pris son parti. Mais c'était une vierge de vingt et un ans qui avait épousé le prince et, le temps qu'elle comprenne ce qui lui faisait défaut, leur union s'était tellement détériorée qu'aucune entente n'était possible. Il avait trouvé chez sa maîtresse ce qu'il était incapable d'offrir à son épouse, tandis qu'elle avait cherché ailleurs le réconfort physique auquel elle aspirait et pensait avoir droit.

À mes yeux, lui déclarai-je, la leur était une histoire assez commune : des millions de couples rencontraient le même problème, et elle n'avait qu'à examiner les statistiques de divorce pour en avoir la preuve.

Elle ne se résigna pas plus facilement pour autant. Elle avait abordé le mariage remplie d'espoir et d'impatience.

— Savez-vous ce que j'éprouvais quand j'étais avec Charles ? me demanda-t-elle. J'avais des papillons dans le ventre, vous savez, comme les adolescentes.

Elle se rappelait qu'il lui avait fait une cour assidue et aimable, et qu'elle avait été transportée par tout ce romantisme.

— C'était vraiment mon prince Charmant, disait-elle.

Les premiers temps, ils s'échangeaient des lettres d'amour et dans ses missives elle lui ouvrait son cœur. Elle était très passionnée, lui écrivait qu'elle était aux anges en sa présence, folle de lui, et impatiente de passer le restant de ses jours auprès de lui.

Cependant, à mesure que la cérémonie approchait, les doutes l'assaillirent. Elle avait très vite appris l'existence de Camilla Parker Bowles et avait fait une fixation sur elle.

— Écoutez, lui dis-je, je suis un peu plus âgée que vous, et on sait que Charles était amoureux de Camilla depuis ses vingt ans. Un amour comme celui-là ne meurt jamais. On a toujours de la tendresse pour la personne qui a rempli une grande partie de sa jeunesse et on n'oublie jamais un tel amour, parce qu'il était insouciant et libre.

Elle eut du mal à l'accepter, même des années plus tard. À l'époque, cela lui était impossible. Elle s'était convaincue que, à cause de Camilla, Charles ne l'avait pas épousée par amour. Elle partagea ses craintes avec la reine mère, chez qui elle séjourna à Clarence House peu après l'annonce des fiançailles, ainsi qu'avec sa grand-mère, lady Ruth Fermoy, et sa mère, Frances Shand Kydd. Les trois femmes décrétèrent qu'elle souffrait d'un accès de « stress prénuptial » et qu'elle n'avait pas à s'inquiéter, car cela lui passerait rapidement. Elles se souciaient plus de la signification historique de la cérémonie que de ses appréhensions.

— Ne soyez pas paranoïaque, lui répétaient-elles. Ce n'est qu'un effet de votre imagination.

Elle essaya d'en parler avec sa sœur aînée Sarah, qui refusa de l'écouter : cette dernière était sortie autrefois avec Charles et, selon Diana, « elle était jalouse de moi ».

Seul son père, le comte Spencer, la traita avec considération.

— Nous allons continuer, lui dit-il, et si cela se passe mal, sache que je serai toujours à tes côtés.

Cela la rassura quelque peu, mais même le soutien de son père ne put l'apaiser durant la cérémonie. Ses doutes avaient déclenché une crise de boulimie et la robe dut être reprise plusieurs fois. Les stylistes David et Elizabeth Emmanuel l'ajustaient encore le matin même des noces.

J'adorais cette robe, se rappelait-elle, bien qu'elle ne se fût rendu compte de la longueur et du poids de la traîne qu'au seuil de la cathédrale Saint-Paul, en manquant de trébucher.

Ce jour-là, elle resplendissait, mais sous sa robe, déclara-t-elle, « je tremblais comme une feuille. Je ne voulais plus me marier. La veille, j'avais passé une nuit blanche à me répéter : "Il faut annuler" ».

En s'approchant de l'autel, elle aperçut Camilla dans l'assistance. Charles l'avait invitée.

— J'étais hors de moi, se rappelait-elle. J'aurais voulu tourner les talons et m'enfuir.

Si elle en avait eu le courage, disait-elle, elle aurait agi comme la jeune fille jouée par Katharina Ross dans *Le Lauréat* : trousser sa robe et prendre ses jambes à son cou. L'idée de s'emmêler dans cette interminable traîne la faisait toujours rire. À plusieurs reprises durant la cérémonie, elle dut se retenir de rire au spectacle des chapeaux « ridicules » de certaines femmes... et en prononçant les prénoms de Charles dans le désordre.

— Il fallait bien que je voie le côté amusant des choses, sinon j'aurais fondu en larmes. J'avais l'impression d'être un agneau mené à l'abattoir.

Ce sentiment se renforça durant la lune de miel. Elle était convaincue que Charles avait passé la nuit précédant le mariage dans les bras de Camilla. Elle disait même en avoir la preuve. À bord du *Britannia*, le yacht royal, elle le vit arborer les boutons de manchette gravés des C entrelacés que Camilla lui avait offerts et crut ses soupçons confirmés.

— Nous sommes mariés, désormais, dit-elle à Charles. Pourquoi les portez-vous ?

L'union commençait sous de biens sombres auspices. Charles n'était guère communicatif. Toujours active, Diana voulait bouger et s'occuper, mais il manquait singulièrement de joie de vivre.

— Je brûlais de danser, de chanter, de faire des choses excitantes, mais tout ce qu'il voulait, c'était se reposer et lézarder au soleil.

Pour Diana, Charles semblait moins préoccupé par la jeune mariée que soucieux d'impressionner les dignitaires, notamment le président égyptien Anouar El-Sadate, qui fut invité à dîner à bord.

— Je m'ennuyais, dit-elle. Je me suis crue coincée avec un vieillard.

Lassée et délaissée, elle discutait avec l'équipage. Bien sûr, Charles réprouvait cette entorse au protocole. Quand son épouse lui fit part des potins qu'elle avait glanés, il la réprimanda :

— Mais à quoi songez-vous ? Vous ne devriez pas parler ainsi avec le personnel !

— Puisque vous ne me parlez pas, que voulez-vous que je fasse ? répliqua-t-elle.

C'est la nuit que les véritables difficultés surgirent.

L'éducation sexuelle n'était pas obligatoire à l'école, mais Diana avait pris la peine de s'informer dans les livres adéquats. Elle avait séjourné à Buckingham durant les fiançailles et avait rejoint Charles dans son lit un soir d'orage. En dehors de quelques baisers, rien ne s'était passé. C'était donc non sans attentes qu'elle se coucha dans le lit nuptial.

— J'avais lu tout ce qu'on racontait sur ces transports extatiques, mais cela n'avait rien à voir, m'expliqua-t-elle. Tout a été terminé en un instant. Je suis restée allongée à me dire : « C'est tout ? C'est vraiment pour cela qu'on en fait tout un plat ? »

Le fait qu'elle ait trouvé l'expérience douloureuse ne fit qu'exacerber sa déception. En conséquence, elle n'était pas impatiente de se plier au devoir conjugal. Selon elle, tout ce que son mari voulait faire, c'était « me monter dessus ». Sa description de la technique amoureuse de Charles était crue, mais claire : « Je te monte dessus, je me recouche, et au dodo. »

Sur une échelle de un à dix, elle décerna plus tard à son mari un piètre un.

La situation empira lorsqu'ils quittèrent le yacht royal pour le château de Balmoral. La reine, la reine mère, le prince Philip, la princesse Margaret et ses enfants David et Sarah étaient de la partie. Tout comme les princes Andrew et Edward. La lune de miel se muait en vacances en famille. Diana était de la trempe à séjourner dans un hôtel de luxe plutôt qu'au milieu de nulle part, en compagnie de gens collet monté avec qui elle n'avait pas grand-chose en commun. Le quotidien était très compassé et elle détesta les longues promenades sous la bruine et la pluie. La famille royale n'allumait jamais le chauffage, même lorsqu'il faisait froid, ce qui est fréquent en Écosse. Tout le monde s'habillait pour dîner, et elle se soumit à cet usage, alors qu'elle rêvait d'enfiler un pull et de se pelotonner devant le feu.

— À peine vous sortiez d'une pièce qu'on venait éteindre la lumière derrière vous, disait-elle.

Le prince, dans son élément, chassait, pêchait et se promenait dans la lande, mais Diana détesta chaque instant de ce séjour et fondit souvent en larmes. Charles ne savait comment la traiter. Elle désirait qu'il la prenne dans ses bras : il ne le faisait jamais. Le prince préféra appeler un psychiatre. Le médecin recommanda pour le bien de son épouse que Charles la reconduise à Londres. Au lieu de suivre cet avis, Charles suggéra à Diana d'inviter une amie à Balmoral.

Carolyne Pride, avec qui Diana partageait un appartement au moment de sa rencontre avec le prince, vint docilement la rejoindre quelques jours ; cela n'améliora pas la situation. Diana était certaine que son intuition avait été « fondée à cent pour cent » et qu'elle n'aurait jamais dû accepter d'unir son destin à celui de Charles.

L'évidente détresse de Diana ne diminua pas les exigences de son mari au lit et, en septembre, deux mois après la célébration d'un mariage déjà en crise, Diana était enceinte. Outre sa boulimie, elle souffrait maintenant de nausées matinales.

— J'étais dans un état pitoyable, déclara-t-elle.

C'est durant cette première grossesse que Diana se jeta dans l'escalier nord de Sandringham, où la famille royale au complet, remorquant toujours cette malheureuse pièce rapportée, s'était installée pour les vacances de Noël. Diana n'éprouva aucune culpabilité, alors qu'elle risquait de compromettre la vie du bébé – qu'elle désirait ardemment, par ailleurs ; elle m'avoua qu'elle cherchait à « attirer l'attention sur elle ».

– Je voulais que Charles m'enlace et me dise qu'il m'aimait, mais il se contentait de m'administrer une petite tape dans le dos.

Elle mettait ce qu'elle appelait les « réserves affectives » du prince sur le compte de son enfance. Elle se plaisait à l'analyser, cherchant des indices pouvant expliquer son attitude envers elle. Pour Diana, si Charles avait été élevé comme tous les enfants du monde, il aurait su mieux gérer leurs émotions respectives. Cependant, son affect semblait avoir été étouffé dès la naissance. Il n'avait jamais joui de l'amour de ses parents. Ses nourrices lui avaient témoigné de l'affection mais, comme l'expliquait Diana, ce n'était pas la même chose qu'être choyé par son père et sa mère, ce que Charles n'avait jamais connu. Lorsque ses parents et lui se voyaient, ils ne s'embrassaient pas : ils se serraient la main. De ce fait, il était incapable de se montrer « tactile » avec sa propre épouse.

– Le seul geste amoureux qu'il ait appris, disait-elle, c'était de serrer la main.

À une autre époque, cela n'aurait eu aucune importance, mais ce n'était pas ainsi qu'on abordait une femme moderne. Diana, qui nourrissait son imaginaire de livres et de magazines, désirait bien davantage. Elle désirait être aimée, absolument et totalement, par un homme qui se consacre à elle corps et âme.

Elle demandait beaucoup et je l'avertis que c'était probablement plus qu'aucun homme ne pourrait jamais lui offrir. À l'écouter, je la trouvais parfois vraiment très puérile ; dans bien des domaines, Diana était encore pratiquement une enfant en ce temps-là. Charles avait été son premier amant, et lorsqu'elle comprit qu'il n'assouvirait pas ses attentes, elle n'eut pas les moyens de remédier à la situation. Certes, comme elle le faisait toujours remarquer, il aurait pu se donner plus de mal. Au lieu de quoi elle n'eut droit qu'à de l'indifférence ou à des éclats de voix.

Les hommes de la famille Windsor sont connus pour leur tempérament coléreux, et Charles ne faisait pas exception. Quand il se fâchait contre sa femme, il vitupérait et semblait incapable de se maîtriser. Pour Diana, la raison en était qu'il avait été gâté au-delà de toute mesure quand il était petit. La reine mère lui avait toujours cédé, le personnel des palais royaux s'était toujours montré obséquieux et, à mesure qu'il grandissait, il s'était composé un entourage de flatteurs. En conséquence, si on le contredisait, il perdait son sang-froid. Il provoquait rarement des dégâts car il avait tendance à s'emparer du premier objet à portée de main et, s'il s'agissait d'un journal, celui-ci tombait mollement par terre, ce qui amusait énormément Diana.

Quelques-uns de ses accès de colère la terrifièrent quand même. Sa seule défense consistait à tourner les talons sans un mot, ce qui irritait Charles davantage et décuplait sa fureur. Il finissait bien par présenter ses excuses, mais ces crises amplifiaient la pression sur Diana.

– J'avais l'impression que j'allais exploser, disait-elle.

Cette sensation était telle qu'elle commença à se mutiler avec des couteaux et des fourchettes ou tout autre objet acéré. Elle expliquait que les douleurs physiques étaient bien moins pénibles que celles dont elle souffrait intérieurement. Elle comparait l'automutilation à un volcan qui entre en éruption : elle sentait la lave qui jaillissait de son corps.

Mais ce n'était pas de la lave. C'était du sang qui coulait avec la frustration et la souffrance affectives.

D'après elle, Charles ne comprenait pas le soulagement qu'elle éprouvait à se blesser de la sorte. Je lui répondis à maintes reprises que personne ne pouvait le comprendre en dehors de ceux qui l'avaient vécu dans leur chair. C'était au-delà de l'entendement pour le premier venu et certainement au-delà de tout ce que Charles avait pu connaître. Dans son existence très protégée, un baiser était considéré comme une indécence extravagante et il fuyait devant les blessures que s'infligeait sa femme. Si Charles s'était renseigné alors sur cette affection mentale, je suis certaine qu'il aurait réagi différemment ; au lieu de quoi il se borna à considérer cela comme une tentative pathétique visant à attirer l'attention et non comme un symptôme de la grave dépression dont il était en partie responsable.

La naissance de William aurait dû provoquer un sursaut chez Diana. La maternité réveille chez l'humain un profond instinct de protection, même si cela compromet son bien-être ou lui fait courir un risque. Diana se déclara absolument ravie du « miracle de la vie », comme elle disait. Charles s'était montré très prévenant durant l'accouchement. Il n'y assista pas de bout en bout, comme cela a été dit : ignorant comment réagir, il venait jeter un coup d'œil et repartait aussitôt. Mais au moins, il était venu à l'aile Lindo de l'hôpital St Mary de Paddington, et elle lui en fut reconnaissante.

Cependant, une fois que le couple et son premier-né furent revenus à Highgrove, les problèmes resurgirent.

Diana apprécia quelque temps cette grande demeure près de Tetbury, dans le Gloucestershire, dont la famille de Galles a fait sa résidence secondaire, et elle s'empressa de tenir son rôle d'épouse et d'hôtesse. Mais elle découvrit vite qu'il s'agissait de la maison de Charles. Il avait très peu de temps ou d'intérêt pour les quelques rares amis qu'elle s'était faits avant d'être engloutie par la famille royale, et Diana, déjà très mal à l'aise, cessa de les inviter. Elle reçut donc les amis de Charles alors qu'elle les détestait presque tous. Elle les trouvait vieux et mornes, les considérait comme d'abominables snobs et les méprisait car ils opinaient à tout ce que disait Charles, le futur souverain, même lorsqu'il proférait des absurdités (sur la question de la chasse au faisan, par exemple, qu'elle abhorrait). Les « tueurs », comme elle les appelait, prenaient toujours le parti de Charles, lui donnant l'impression de n'être qu'une petite sotte qui n'était pas à sa place dans cette demeure.

Lorsqu'ils s'aventuraient hors des cent soixante-cinq hectares de Highgrove, d'autres tensions se manifestaient. Héritier du trône, Charles avait toujours été le centre de toutes les attentions. À présent, c'était Diana qu'on voulait voir. Et c'était son visage qui paraissait dans la presse, pas celui du prince. Comme elle le soulignait à juste titre, ce n'était pas sa faute, mais cela agaçait son mari.

— Il était jaloux, disait-elle.

L'échec d'une relation a tendance à faire oublier les bons moments ; Diana était assez honnête pour avouer qu'ils connurent des périodes de bonheur. Ils avaient l'un comme l'autre un sens de l'humour très développé, bien qu'un peu puéril, et elle déclarait que la seule chose dont il était capable, lorsqu'il s'en donnait la peine, était de la faire rire. Elle adorait qu'il imite les Goons, une émission de radio populaire des années cinquante avec Peter Sellers et Spike Milligan. Et elle riait de ses blagues scatologiques. Diana pratiquant les lavements, elle prenait la question bien plus au sérieux que lui, mais elle appréciait néanmoins ses plaisanteries sur le sujet.

Cela ne pouvait masquer les divergences profondes qui marquaient leur couple. Au premier chef figura la manière dont ils pensaient élever leur fils. Charles comptait faire appel à son ancienne nourrice, Mabel Anderson, seule source de tendresse dans son enfance. Diana rejetait cette option. Les femmes qui s'étaient occupées d'elle après le départ de sa mère lui avaient laissé de très mauvais souvenirs. L'une d'elles lui avait donné un coup de cuiller en bois sur le crâne.

Une autre avait cogné sa tête contre celle de son frère Charles. William, déclara-t-elle à son mari, était son enfant, et elle désirait lui donner tout l'amour et l'attention qu'on lui avait refusés étant petite.

Elle n'en démordit pas. Charles répondit qu'on procédait différemment dans la famille royale. Elle rétorqua que la reine n'avait pas brillé en tant que mère, à en juger par le résultat avec lui, pas plus que la reine mère, qui avait tourné le dos à ses obligations maternelles et laissé à des domestiques le soin d'élever sa fille. Si compétent et bien formés qu'ils fussent, pour Diana, ils n'auraient jamais pu remplacer l'affection d'une mère.

Diana perdit la bataille. Malgré ses protestations, Charles engagea d'abord une nourrice, puis une bonne d'enfants. Même pour un sujet aussi grave, l'opinion de Diana n'était pas prise en compte, aussi retomba-t-elle dans la dépression. C'est la raison pour laquelle elle passa autant de temps en compagnie de William, qu'elle considérait comme la lumière de ces ténèbres affectives dont elle était devenue la prisonnière.

La naissance de Harry ne fit qu'accentuer le fossé entre les époux. Pour ne rien arranger, Diana souffrit d'une dépression post-natale. Toute son énergie se concentrait sur William et Harry. Quand nous en discutâmes plus tard, elle avoua qu'elle aurait peut-être dû consacrer plus d'attention à son mari.

Elle essaya de se focaliser à nouveau sur leur couple, et lorsque Charles et elle étaient seuls, elle se lançait dans des numéros de danse sexy pour tenter de raviver la flamme. Mais ses efforts, lorsqu'elle recevait les invités importants du prince, se heurtaient au sérieux de conversations qui lui passaient le plus souvent au-dessus de la tête, tandis que ses tentatives de séduction ne semblaient qu'embarrasser son mari.

– Quand Harry est né, tout était déjà fini entre nous, me dit-elle avec un long soupir.

Avant la naissance de William, la famille royale lui avait au moins témoigné un peu de sollicitude. La reine, en particulier, avait fait l'effort de l'écouter et l'avait encouragée à poursuivre ses efforts. Une fois qu'elle avait produit « un héritier et un de rechange » pour assurer la succession dynastique, les Windsor lui tournèrent le dos.

Le traitement recommandé fut bien plus rude qu'à l'époque de Balmoral. Cette fois, on préconisa qu'elle soit internée dans une clinique psychiatrique. Les Spencer, frère, sœurs et mère, se joignirent au chœur qui la suppliait de se faire soigner.

Diana fut terrifiée à l'idée d'être envoyée « chez les dingues ». Deux parents de la reine mère avaient été internés dans un asile dont ils ne ressortirent pas, afin de ne pas causer de gêne à la famille. Diana était convaincue qu'on lui réservait le même sort. Elle ne pouvait confier ses craintes à Charles, car elle pensait qu'il était partisan de cette solution. C'était lui, après tout, qui l'avait déclarée « folle » auprès de leurs deux familles.

Le seul à prendre son parti fut son père. Si elle ne voulait pas être hospitalisée, lui dit-il, elle devait refuser clairement et se contenter d'une thérapie suivie à domicile.

Restait comme seul recours à la famille royale de se « séparer » de Diana en vertu des lois britanniques sur la santé mentale. Mesure dont personne n'était disposé à user. La monarchie repose sur l'approbation de la population et, déjà, des critiques s'élevaient sur la désinvolture avec laquelle on traitait Diana après son entrée dans la « firme », comme elle l'appelait. Si l'on avait appris que la princesse, déséquilibrée en raison de l'indifférence générale, était internée contre son gré, on aurait couru à la révolution.

Diana eut raison de tenir bon. Nous discutâmes à loisir de cette période traumatisante de sa vie et elle m'avoua avoir connu des moments de tel désespoir qu'elle en perdait presque la raison. Mais les causes étaient évidentes pour qui se donnait la peine d'ouvrir les yeux. Pour commencer, il y avait la dépression post-partum. Ensuite, la métamorphose soudaine d'une jeune fille inconnue en femme la plus célèbre du monde. Cependant, le cœur du problème était l'incapacité de son mari à la comprendre et à répondre à ses demandes.

Comme pour la plupart des femmes, la sexualité de Diana était gouvernée par son psychisme. Si elle se sentait aimée, elle était comblée et heureuse au plan physique. Mais si elle se sentait bafouée, elle avait du mal à feindre de connaître la moindre satisfaction. Défiance et soupçons minaient le couple princier.

En outre, Diana n'avait jamais eu l'impression que Charles lui appartenait, comme s'il lui avait dissimulé une partie de lui qui restait toujours hors d'atteinte. Elle ne se sentait ni en sécurité, ni chérie, ni en mesure de baisser sa garde. Il n'émanait de lui que de la froideur, même lorsqu'elle se blottissait contre lui. Plus ils étaient proches, plus un abîme les séparait, et même lorsqu'il l'étreignait, elle doutait de sa sincérité. Au cours de leurs disputes, elle laissait libre cours à ses émotions, ce qui la libérait d'un poids, et elle se sentait mieux – jusqu'à la dispute suivante : il aurait mieux valu qu'ils restent chacun dans leur coin.

Ce qu'ils finirent d'ailleurs par faire. Coincée avec un mari qui ne la satisfaisait pas et qui ne prenait jamais son parti dès que surgissait la moindre anicroche, qui ne remarquait aucun de ses efforts de séduction et qui sembla même ne pas s'inquiéter, en désespoir de cause, elle finit par flirter avec d'autres hommes. Avait-elle vraiment envie de rester enchaînée à celui qu'elle avait épousé ? Ses interrogations ne firent que la troubler plus encore.

Car, malgré les altercations, les larmes et désormais une totale absence de contact physique, elle continuait à l'aimer. C'était son premier amour et cela comptait énormément. Et elle était convaincue qu'il l'aimait lui aussi à sa manière.

Mais elle fut incapable de lui pardonner sa trahison.

L'ombre de Camilla planait sur leur mariage depuis le début. Lorsque Diana découvrit qu'il avait repris sa liaison avec elle, ce fut comme un « coup de poing en plein ventre ». Ses jambes se dérobèrent sous elle et elle manqua de s'évanouir. Puis les larmes et la colère prirent le dessus.

Elle essaya de ne pas penser à Camilla, mais celle-ci l'obsédait. Au début de leur vie commune, Charles lui avait fait une suggestion saugrenue : puisque Diana n'avait personne à qui parler, elle n'avait qu'à se lier avec Camilla. Et comme, à l'époque, elle buvait ses paroles, elle obtempéra. Cette amitié fit long feu : Diana s'aperçut que tout ce qu'elle confiait à sa nouvelle amie était rapporté à Charles. Lorsque celui-ci lui demanda pourquoi elle avait cessé de fréquenter Camilla, Diana expliqua non sans aigreur qu'elle n'avait aucune envie d'entretenir une relation avec sa maîtresse : s'il aimait son épouse, mieux valait d'ailleurs qu'il prenne ses distances.

Charles ne fit aucun cas de cette suggestion, comme Diana le découvrit lorsqu'elle décrocha l'un des postes à Highgrove et entendit son mari bavarder avec Camilla. C'était peu après la naissance de Harry et cela eut l'heur de l'ulcérer. Il se moquait donc de toutes ses tentatives pour sauver leur couple ? Était-ce pour cela qu'il détournait les yeux lorsqu'elle entamait son petit numéro de danse sexy ? Quelle humiliation !

Elle rebaptisa Camilla le « rottweiler ».

– Parce qu'elle a l'air d'un chien, expliquait-elle. Et qu'en plus, quand elle mord, elle ne lâche plus prise.

Diana harcela Charles sur cette relation, mais il ne lui fournit jamais la moindre réponse convenable. Il ne nia pas qu'il voyait Camilla et ne mentit pas. Il se contenta de ne pas desserrer les dents et de refuser de répondre à ses questions. C'était puéril, mais à l'époque, ni Charles ni Diana n'étaient très adultes dans ce domaine. Lui se réfugiait dans le mutisme. Elle commença à passer le premier des appels anonymes qui allaient lui valoir tant d'ennuis, joignant Camilla au milieu de la nuit et raccrochant aussitôt. Elle se mit à parler avec mépris de Charles et de « sa dame », prétendit ne pas se soucier de ce qu'ils faisaient, chercha le réconfort auprès d'autres hommes et essaya de ravaler ses émotions pour ne plus jamais souffrir. Il l'avait blessée en plein cœur. Elle se demandait constamment : « Comment ai-je pu être aussi sotte et me faire des illusions pendant si longtemps ? »

Sa santé mentale se détériora gravement. Sous antidépresseurs (notamment du Prozac, commercialisé dès 1988), elle continuait de se quereller avec Charles au sujet de l'éducation de leurs fils, tout en étant obligée de sourire lors des réceptions officielles. À bout de nerfs, elle dut annuler nombre d'engagements, mais c'était déjà un miracle qu'elle ait pu en assurer quelques-uns. D'après elle, elle puisa cette force auprès de groupes de soutien de femmes battues.

Charles n'exerçait pas à son encontre de violences physiques, mais les brutalités sont aussi d'ordre psychologique et, en parlant à des personnes confrontées à des problèmes analogues, Diana commença à mieux envisager sa condition.

La plupart d'entre ces femmes avaient quitté leur mari. Diana, prise au piège de la famille royale, demeurait dans le foyer conjugal et continua de souffrir. La solution à son supplice fut de prendre un amant et, en 1986, soit deux ans après la naissance de Harry, elle entama une liaison avec James Hewitt, l'officier des Life Guards aux cheveux roux. Dès lors, Charles et Diana menèrent des vies séparées. Lui passait le plus de temps possible avec Camilla, tandis que Diana se consacrait à ses fils et, de temps en temps, s'échappait pour retrouver Hewitt clandestinement. Pour sauver les apparences, Charles aurait été disposé à ce que cet état de fait dure indéfiniment.

En revanche, une telle double vie ne correspondait pas aux aspirations de Diana, très exclusive et idéaliste dans sa conception de la vie amoureuse.

Le voyage en Inde effectué au début de l'année 1992 fut la goutte d'eau. Diana était au plus bas, la solitude lui pesait.

— J'avais l'impression d'être au bout de ma vie, dit-elle de manière un peu mélodramatique.

Lorsque Charles tenta de l'embrasser durant un match de polo, elle détourna délibérément la tête, jugeant hypocrite cette marque d'affection.

— Il faisait cela pour les photographes, expliqua-t-elle en se remémorant sa colère.

Après tout, songea-t-elle, si Charles était capable de simuler l'affection pour manipuler l'opinion, libre à elle d'en faire autant. En guise de réponse, elle offrit au monde la célèbre photographie la montrant seule devant le Taj Mahal, monument à l'amour conjugal.

Et elle ne s'arrêta pas là. Diana affûtait en secret une arme autrement puissante. Elle la dévoila en juin, lorsque Andrew Morton publia *Diana : Sa vraie histoire*, ouvrage fracassant qui mettait au jour le fiasco de son couple. Le livre reposait sur des propos rapportés de Diana et décrivait à la première personne le parcours d'une femme postée en première ligne d'un conflit surnommé par la presse « la Guerre des Galles ». Elle avait personnellement relu les épreuves et confirmé ses dires.

La parution du livre l'enthousiasmait. Elle m'en reparla à plusieurs reprises, justifiant ce brûlot par la nécessité de donner sa propre version des événements pour contrer les médisances colportées par l'entourage de Charles. L'initiative était hardie, et à l'époque, m'expliqua-t-elle, elle tremblait de connaître la réaction de sa belle-famille. Ses craintes étaient fondées. Si Charles en resta sans voix, la reine, plus dure que son fils aîné, ne cacha pas son indignation.

C'est pourquoi Diana prétendit qu'elle n'avait pas participé à la rédaction de l'ouvrage. Pour mieux se distancer de ce projet, elle coupa avec les amis qui l'avaient pressée de rendre publics ses tracas domestiques. Elle eut beau se récrier, personne ne la crut : le livre recelait trop de détails inédits. Le scandale creusa un abîme entre elle et l'unique membre de la famille royale qui lui avait toujours témoigné gentillesse et considération : la reine.

Une fois de plus, Diana avait laissé ses émotions prendre le dessus. Elle avait agi sur un coup de tête, clouant au pilori l'époux qui l'avait plongée dans la détresse.

Par la suite, elle regretta d'avoir involontairement causé du tort à ses plus proches alliés. Dans cette affaire, elle avait perdu de très bons amis, et elle le regrettait. Tout comme elle s'était aliéné la bienveillance de la reine, laquelle se garderait d'intervenir en sa faveur lorsque viendrait le moment de la rupture. De l'autre, elle admettait que ses agissements n'étaient pas avisés. Elle se retrouvait seule, isolée, sentiment que décuplait le décès de son père, survenu trois mois auparavant.

On a beaucoup dépeint le comte Spencer comme un personnage insensible et bourru, et, depuis son attaque cérébrale, qui ne jouissait plus de toutes ses facultés mentales. Diana le voyait sous un autre jour. Son père était son confident privilégié, le seul être qui compatît avec les charges imposées par sa vie publique et son statut au sein de la cour. Jadis écuyer de la reine, il savait d'expérience combien cette belle-famille se montrait inhospitalière à ses heures. Quand Diana se plaignait des Windsor, le comte lui rappelait que les Spencer se targuaient de faire remonter leur lignée jusqu'au règne d'Henri VIII, au XVIe siècle, et qu'ils étaient bien plus anglais que la famille royale. En un certain sens, Diana trouvait très amusante cette idée de supériorité : au moins avait-elle un avantage sur eux.

Le père et la fille s'adoraient, même si le comte n'était pas toujours tendre avec Diana. Elle était toutefois sa préférée, et il voulait son bonheur plus que tout au monde. C'était le seul homme qui ne l'avait jamais laissée tomber, le seul « qui ne m'ait jamais trahie ». Elle disait qu'il était son « filet de sécurité », et la protégeait des douloureuses réalités et du marasme dans lequel la plongeait sa vie de palais.

Lorsque son mariage périclita, tout le monde lui conseilla de fermer les yeux sur l'infidélité de son mari, de sauver les apparences et de mettre de côté ses sentiments pour le bien de ses enfants. C'est précisément cette approche pragmatique, vieux jeu et insensible que lord Spencer avait employée jadis pour essayer de retenir la mère de Diana. Pourtant, lorsque sa propre fille affronta un dilemme analogue, il remisa l'attitude aristocratique traditionnelle et lui conseilla de faire ce qui lui paraissait le plus adapté sur le long terme, pour ses fils comme pour elle-même.

Diana apprit son décès alors qu'elle passait quelques jours maussades dans la station de ski autrichienne de Lech. Accablée, elle exigea de rentrer en Angleterre seule, mais le garde du palais insista pour que Charles l'accompagne, par souci du protocole. Diana tint bon : pas question que le palais profite des obsèques de son père pour donner l'illusion d'une famille unie. Elle demanda à s'y rendre seule, et à en repartir seule, comme elle ferait seule son deuil. Nul ne l'inciterait à changer d'avis, surtout pas son mari, qui l'avait toujours forcée à suivre les diktats de la famille royale.

Par la suite, il ne passa pas un jour sans qu'elle pense à son père. Elle en parlait constamment et alla voir des médiums pour essayer de prendre contact son esprit. Elle était désemparée sans lui. Elle l'appelait « mon roc ». Les médias prétendirent plus tard que l'expression concernait Paul Burrell, mais, pour Diana, il n'y eut jamais qu'un seul « roc », son père, et, sans lui, elle perdit ses repères.

– 4 –

LIAISON FATALE

Diana avait pris pour habitude de jeter son dévolu sur des hommes faibles, et ceux-ci étaient attirés par elle. Avec elle, ils se révélaient très dominateurs, voire manipulateurs au plan émotionnel. À bien des égards, elle se comportait comme une enfant, recourant à toutes les ruses possibles pour attirer leur attention. C'était fait sans malice ni calcul. Elle était têtue, impulsive, mais aussi d'un naturel affectueux, et elle avait un besoin désespéré de sentiments réciproques. Elle se retrouvait donc à la merci de ce type d'individus qui, cherchant à contrer et dissimuler leurs faiblesses, sont attirés vers les femmes vulnérables.

Cela allait lui causer une multitude d'ennuis dans les années qui suivirent.

Je ne suis pas psychiatre mais, d'après ce que Diana m'a raconté – elle en parlait longuement et en toute franchise –, elle était toujours cette petite fille de six ans attendant sur le seuil une mère qui ne revint jamais et cherchant à gagner l'approbation d'un père distant.

Elle eut beau suivre des thérapies et s'adonner à des traitements farfelus, elle ne parvint jamais à dissiper sa peur de l'abandon. Cela la conduisit à chercher le réconfort auprès d'hommes qu'il aurait été plus prudent d'éviter.

Ses relations avec le sexe opposé n'étaient pas facilitées par les conseils de son frère Charles, selon qui les hommes n'étaient attirés que par les femmes maigres. Diana avait deux ans de plus que lui et, lorsqu'ils étaient enfants, elle le déguisait avec ses vêtements de poupée et lui fit même endosser un costume de nounours. Quand il atteignit l'âge de douze ans, il chercha à jouer à d'autres jeux avec sa sœur. Diana me confia que leurs chamailleries et leurs cabrioles prirent un tour douteux.

Elle m'en parla lors d'une conversation portant sur nos premières expériences respectives. J'en restai sans voix – et il m'en faut beaucoup.

Diana n'eut ses premières règles qu'à seize ans. Dès son plus jeune âge, me confia-t-elle, elle se goinfrait de chocolat et se faisait vomir. J'ai moi-même souffert de boulimie et nous discutâmes des conséquences de cette affection sur la physiologie féminine. Dans le cas de Diana, ce désordre alimentaire perturba gravement son cycle menstruel. Cela, ajouté à ses jeux dangereux avec son frère et au fait que celui-ci prisait la maigreur, contribua à ternir son adolescence et la prépara très mal aux défis inhérents à la vie de femme.

Avec de pareils antécédents, bien des femmes auraient eu peur des hommes, et il est vrai qu'au début elle trouva le sexe particulièrement décevant. Pourtant, malgré son handicap, Diana continuait d'aimer les hommes et les préférait bien davantage aux femmes. À l'en croire, elle apprenait beaucoup auprès d'eux, surtout au contact des personnalités remarquables qu'elle était amenée à fréquenter en tant que princesse de Galles. Elle était également convaincue que les hommes étaient plus francs et plus stables, et, curieusement, qu'ils la comblaient bien mieux que les femmes. Les hommes la déçurent peut-être — et ce fut souvent le cas — mais elle était mieux disposée à tolérer leurs trahisons que celles des femmes.

La mère de Diana, en quittant le foyer conjugal, avait ancré chez sa fille une méfiance profonde à l'égard des femmes et c'est pourquoi Diana se montrait quelquefois brutale avec ses amies. Elle rompait brusquement avec elles, tout comme sa mère l'avait quittée jadis.

L'attirance physique qu'elle éprouvait pour les hommes, malgré ce qu'elle avait vécu par le passé, constituait également un facteur important. Lorsqu'elle faisait une rencontre intéressante, elle se mettait à flirter, petit jeu auquel elle devint très habile. Au fil du temps, elle apprit donc à jouer de son sex-appeal.

D'ailleurs, elle pouvait se révéler tout à fait excessive quand l'envie lui en prenait et elle alla même un jour jusqu'à jouer les Sharon Stone devant un célèbre journaliste londonien.

Cela arriva alors qu'elle se préparait pour une séance d'acupuncture. Elle portait une minijupe en jersey vert vif et une paire de collants. Elle devait les ôter pour sa séance, et ce faisant, elle les ôta en décroisant les jambes comme l'actrice dans *Basic Instinct.*

Aguicher le tout-venant ne lui disait rien : elle recherchait surtout un compagnon de vie. Son mariage avec le prince de Galles avait souligné la difficulté inhérente à ce projet. Il n'est pas étonnant que, lorsque ses rêves volèrent en éclats, elle soit allée voir ailleurs. Hélas, sa quête s'avéra jonchée d'embûches et de pièges.

Le premier homme auquel elle s'attacha lorsque son mariage avec Charles battit de l'aile fut Barry Mannakee, l'inspecteur de la Brigade de protection royale qu'on lui avait assigné. En raison de ses fonctions, Mannakee était en permanence à ses côtés et devint son plus proche confident dans l'entourage royal. Ils feuilletaient ensemble les photos de Diana parues dans la presse et sélectionnaient les meilleures.

– Il avait toujours le compliment aux lèvres, me raconta-t-elle.

C'est également vers lui qu'elle se tournait lorsqu'elle se sentait seule ou déprimée. Et c'était Mannakee, et non son mari, qui la prenait dans ses bras pour la consoler lorsque le désespoir s'emparait d'elle et lui arrachait des larmes. Il lui arriva souvent de devoir aller se changer, le mascara de la princesse ayant sali sa chemise.

Mannakee était replet, dégarni et marié : pas vraiment l'amant idéal. Mais les palais sont comme de petits villages et il ne s'écoula pas longtemps avant qu'on ne chuchote dans les couloirs qu'il y avait anguille sous roche. Inévitablement, les rumeurs arrivèrent aux oreilles de Colin Trimming, garde du corps personnel du prince de Galles. Diana, qui trouvait Trimming intimidant et autoritaire, le détestait cordialement. Il se tenait informé du moindre de ses faits et gestes, au grand dam de la princesse, qui me raconta qu'elle avait « l'impression de vivre dans un État policier ».

Un jour, en entrant dans une pièce, il trouva dans les bras de Mannakee une Diana en proie aux sanglots. Jugeant que son subordonné avait dépassé les limites autorisées par le protocole, il s'ouvrit de ses soupçons à Charles.

Ce n'était pas la première fois qu'un membre du personnel placé au service de Diana avait droit à un savon pour « excès de familiarité ». Peu après ses fiançailles, Diana avait emménagé à Buckingham, où on lui avait procuré un séduisant valet de pied nommé Mark Simpson. En rentrant un soir de l'opéra, Charles était passé dans la chambre de Diana pour lui souhaiter bonne nuit et avait trouvé Simpson, assis sur le lit, en train de bavarder avec sa promise. Le prince jugea cette attitude impudente (ou pire) et, peu de temps après, Simpson quitta le palais pour entrer au service la princesse Anne. Bien que Simpson, décédé en 2000, ait été homosexuel, le bruit court encore parmi les membres du personnel royal qu'il avait entretenu une liaison avec Diana.

Dans le cas de Mannakee, les preuves étaient plus nombreuses. Elle l'appelait « mon copain » et flirtait avec lui de manière outrancière, passant langoureusement les mains sur sa robe moulante, avec un regard par en dessous, en demandant « Je suis bien, comme ça ? » À quoi il répondait : « Je pourrais vous draguer. »

Et Diana d'enchaîner : « Mais c'est ce que vous faites, non ? »

De tels propos, déjà propres à alimenter les ragots, furent corroborés par la diffusion des vidéos enregistrées par son orthophoniste, Peter Settelen, dans lesquelles elle déclarait : « J'étais heureuse uniquement en sa présence... J'étais prête à tout laisser tomber... Je serais partie vivre avec lui. C'est incroyable, non ? Et lui ne cessait de me dire que c'était une bonne idée. » Je pense qu'en réalité elle faisait ici allusion à James Hewitt, qui passa beaucoup de temps avec Diana à cette période.

C'était tout Diana. Elle adorait scandaliser son entourage, juste pour voir les réactions qu'elle provoquait, bien qu'elle eût, en l'occurrence, péché par excès. Mais aimer un homme et être sa maîtresse sont deux choses différentes et elle certifiait que sa relation avec Mannakee n'était pas charnelle. Elle était si honnête lorsqu'elle discutait des détails de ses liaisons authentiques qu'elle n'avait aucune raison de nier celle-ci.

Ce qui ne signifie pas qu'elle n'avait pas un penchant pour lui. Diana n'en faisait pas mystère. Elle me répéta souvent : « Je l'aimais. C'était mon meilleur ami, quelqu'un avec qui je pouvais discuter de tout sans retenue. Il était merveilleux. Comme un père et un grand frère, pour moi. Mais il n'a jamais été mon amant. »

Je l'ai crue. Cependant, dans le monde fermé de la cour, les apparences sont essentielles, et lorsqu'il devint évident pour tout le monde au palais que Mannakee était beaucoup trop proche de la princesse, il fut muté.

Un an plus tard, en 1987, il se tua à moto, sa Suzuki heurtant une Ford Fiesta à un carrefour à South Woodford, dans l'Essex.

On a largement rapporté que Charles avait été « choqué » par la liaison supposée entre sa femme et le policier, et que ce fut la cause de son revirement vers les bras de Camilla Parker Bowles. Diana avait une autre opinion de l'affaire. Méfiante par nature, elle fouillait régulièrement les poches de Charles et son attaché-case. Les indices découverts ne lui laissaient aucun doute : il y avait dans l'amitié de Charles et Camilla bien plus qu'elle n'était disposée à tolérer. Quand elle souleva la question avec son mari, il éluda, ce qui ne fit qu'aggraver une situation déjà pénible.

Elle déclara que Charles, pour qui il était tout à fait normal de la tromper, était beaucoup trop jaloux pour autoriser à son épouse la même liberté. D'après Diana, lorsque Charles avait découvert l'attachement de Mannakee pour la princesse, quelqu'un avait fait le nécessaire pour « le mettre hors circuit », comme elle disait.

— Ne dites pas de bêtises ! répondis-je.

Diana refusa de se laisser fléchir.

— Il n'y avait rien entre nous, expliqua-t-elle, mais je lui avais tout confié sur tout, absolument tout. Tous les bruits de couloir que j'ai entendus sur la politique, la famille royale et tout ce qui concernait Charles. Il en savait trop.

Elle ne se remit jamais de la mort de Mannakee, et, des années plus tard, elle continuerait à se rendre en secret au crématorium de Londres où ses cendres avaient été dispersées. Et elle ne cessa d'imputer l'accident aux services secrets britanniques. Avait-elle des preuves ? m'enquis-je. Elle prétendit que oui, mais si tel était le cas, elle ne me les a jamais communiquées.

Cependant, il est indubitable que la mort tragique de Mannakee la plongea dans l'effroi. Ce fut l'occasion que saisit James Hewitt.

Ils furent présentés au début de l'année 1986 et Diana fut immédiatement séduite. Mannakee, qui était encore à son service, la mit en garde contre ce jeune officier de cavalerie qui d'après lui (et l'avenir lui donnerait raison) ne valait rien de bon. Diana balaya ses inquiétudes et fut même agacée qu'il se mêle d'un domaine de sa vie dont elle était seul juge. En tout cas, au début, Hewitt déploya ses charmes.

— Il était merveilleux, se rappelait-elle.

Il lui apprit à monter, la comblait de toutes ses attentions, restait pendu à ses lèvres et — ficelle vieille comme le monde — la faisait rire. Elle le trouvait extrêmement désirable. Je ne crois pas qu'elle eût encore rencontré un homme qui exerçait une attraction sexuelle aussi patente.

Quand il en vint à la séduire, il fut assez homme du monde pour s'y prendre progressivement, par « tâtonnements ».

— Comme il m'avait fait connaître l'orgasme à peu près un mois avant que nous couchions ensemble, je n'avais pas peur, je savais à quoi m'attendre, me raconta Diana.

Avant lui elle n'avait pas connu le plaisir, et elle tomba follement amoureuse de lui. Au cours de leur liaison passionnée, il la persuada de pratiquer la fella-tion pour la première fois de sa vie.

C'est à l'instigation de Hewitt qu'ils commencèrent une longue suite de conversations érotiques au télé-phone. La première fois qu'il lui murmura des paroles crues au bout du fil, elle ne sut pas comment réagir : le prince Charles n'était pas contre quelques petites polissonneries ici et là, comme l'ont révélé les curieux enregistrements du « Camillagate » où il confiait à sa maîtresse qu'il rêvait d'être un tampon hygiénique, mais il était toujours très convenable quand il s'adres-sait à sa femme.

C'était une tout autre affaire avec Hewitt et, d'après ce que m'a dit Diana, leurs discussions ressemblaient parfois aux dialogues de films pornographiques.

— Il me traitait comme une esclave sexuelle, racon-tait-elle.

Il n'alla pas jusqu'à lui faire porter des tenues parti-culières, mais elle avouait qu'à une certaine époque elle aurait été prête à se plier à tous ses fantasmes. Son pou-voir sexuel l'avait envoûtée et c'est pourquoi, expliqua-t-elle, elle lui écrivait ces lettres sulfureuses lorsqu'il était en poste au Moyen-Orient durant la première guerre du Golfe. Elles étaient très explicites. « Torrides », selon ses propres termes, car leurs ébats au lit lui manquaient vraiment. Elle devait par la suite avoir des amants plus doués, mais Hewitt fut le premier homme à la mettre dans cet état et, dans le feu de l'excitation, elle en oublia toute discrétion. C'était la première fois qu'elle vivait cela, et quand il partit pour la guerre, elle se sentit forcée de transcrire ses émotions sur le papier.

Certaine de son amour, elle lui offrit des vêtements, des épingles de cravate ornées de diamants, des réveils hors de prix de chez Asprey's, ainsi qu'une ligne de crédit au grand magasin Harvey Nichols pour qu'il puisse s'acheter ses chaussettes et sous-vêtements. Elle me raconta qu'elle s'imaginait quitter Charles et couler des jours heureux avec Hewitt. Le goût de la première fois.

— Je ne savais pas que cela pouvait m'arriver, confiait-elle.

Il est tentant de hausser un sourcil devant le comportement de Diana, et elle essuya de nombreuses critiques, notamment de la part de l'entourage de son mari. Charles avait fait d'elle une princesse, elle était mère de deux fils, et, pour les amis de son mari, elle devait se soumettre, jouer l'épouse docile et se montrer reconnaissante pour ce qu'elle avait reçu. Cependant, la majorité des gens pensaient que Diana avait le droit de se découvrir et de s'épanouir comme n'importe quelle femme — et je suis bien d'accord. Elle était peut-être princesse, mais avant tout, c'était une femme mue par des sentiments, des désirs et des besoins. La plupart de ses contemporaines la soutenaient : n'oublions pas que c'était une jeune fille de vingt-cinq ans frustrée au plan sexuel.

Le choix de James Hewitt fut toutefois une erreur. Diana était naïve, et comme son amant était beau garçon et jovial, elle sous-estima sa bassesse.

Elle mit longtemps à comprendre qu'en dehors de la chambre à coucher, ils n'avaient absolument aucun point commun. Diana essaya de tout partager avec

Hewitt, qui se moquait d'approfondir leurs rapports. Elle dut admettre qu'il « pensait avec sa braguette », comme elle disait, et au bout d'un moment, cela ne lui suffit plus. Plus tard, elle déclarerait qu'en dehors du physique « il était à peu près aussi intéressant qu'un patron de tricot ».

Ce n'était donc pas là de l'amour, du moins de l'espèce qu'elle recherchait. Elle désirait quelqu'un qui s'engage. Il ne le fit jamais — et n'essaya même pas.

De nature soupçonneuse, Diana était parfois carrément fouineuse. Ce n'est pas un trait de caractère très louable, mais une fois de plus, son intuition se révéla fondée. Ayant examiné les poches de son amant, elle trouva le numéro de téléphone d'une autre femme. Il nia quand elle aborda le sujet, mais elle détenait une preuve formelle. Elle l'avait fait suivre par l'agence de détectives qu'elle avait employée autrefois pour vérifier que son appartement n'était pas sur écoute.

— J'ai reçu un rapport complet, et même des photos, me confia-t-elle.

Elle était bouleversée chaque fois que nous parlions de lui. Elle rougissait, se mordait les lèvres, et ses yeux s'embuaient. Je lui disais qu'il ne valait pas tant de chagrin.

— Votre amour, c'était une rente, pour lui, lui fis-je remarquer. Vous lui avez ouvert un compte dans un magasin. Il vous a facturé tout ce qu'il ne pouvait s'offrir jusque-là et n'a jamais dépensé un sou pour vous en dehors d'un bouquet par-ci, par-là. Et pendant tout ce temps, il en voyait d'autres que vous.

Je n'y allai pas par quatre chemins :

— À mon avis, il ne vous a jamais aimée. Il s'est servi de vous. Prenez cela comme une leçon, c'est une erreur que vous ne commettrez plus.

Ce qui l'irritait le plus, c'était qu'il ait profité d'elle, comme d'autres femmes qui lui avaient aussi fait des cadeaux. Elle s'en sentait rabaissée.

— Il m'a coûté un argent fou, geignait-elle.

Et elle n'était pas au bout de ses surprises. Après leur rupture, Diana lui réclama les lettres enflammées qu'il l'avait poussée à lui écrire. Elle fut réduite à le supplier. Il refusait chaque fois. Hewitt était un faible qui voulait manipuler Diana pour satisfaire son ego. Ces lettres représentaient un moyen de la contrôler.

Et une rente extrêmement tentante pour un homme que je considère comme un gigolo. Les lettres appartenaient à Diana. Mais elles restèrent en possession de Hewitt, qui s'en servit en 1994 lorsqu'il collabora avec Anna Pasternak — parente du prix Nobel, auteur du *Docteur Jivago* — pour son livre *Princesse amoureuse*, en échange d'une somme astronomique.

Bien sûr, Diana considéra cet ouvrage comme une trahison. Elle vint me voir à 9 heures, le matin de sa publication, les yeux rouges. Il avait révélé toute leur histoire, non sans émailler son récit de mensonges.

— Comment a-t-il pu faire une chose pareille ? me répétait-elle. C'était intime, entre nous, pas à jeter sur la place publique. Il m'a vendue. Les hommes ne sont pas censés agir ainsi avec les femmes. Que son sexe se ratatine ! hurla-t-elle.

Je l'apaisai et lui donnai une tasse de camomille. Quand elle se fut calmée, elle reprit :

– Je ne veux plus jamais entendre prononcer son nom.

Entre-temps, comme elle fréquentait Oliver Hoare, l'emprise sexuelle de Hewitt était rompue. L'officier n'avait cependant pas l'intention de sortir de sa vie. Il avait conquis la femme la plus célèbre du monde et n'avait aucune envie de la lâcher. Il ne cessait de lui téléphoner et elle se croyait obligée de prendre ses appels. Il possédait encore les lettres gênantes et il les utilisait comme une chaîne pour la maintenir à sa merci.

Désespérée, Diana arriva à la conclusion qu'elle n'avait d'autre choix que de les racheter. Elle était désormais sûre qu'il lui avait demandé de les rédiger avec l'intention de les vendre plus tard. Je crois qu'elle avait raison.

Face à cette éventualité redoutable, elle décida que, si ces missives devaient être vendues, elle seule pouvait s'en porter acquéreur : leur contenu était trop explosif pour qu'elle se permette de les abandonner à d'autres mains. Étant au stade final des négociations de divorce avec Charles, elle était terrifiée qu'on lui refuse la garde des enfants si cette correspondance était dévoilée au grand jour.

Après d'innombrables coups de fil, puis par le biais d'un intermédiaire, Diana accepta de rencontrer Hewitt pour sceller la transaction.

Hewitt fixa les conditions : il exigea que l'échange ait lieu en Espagne et que la somme soit payée en liquide.

Diana accepta. Je la vis ce jour-là blême de rage contre elle-même, pour avoir eu la sottise de se fourrer dans une situation aussi épineuse, mais avant tout contre Hewitt. Je lui conseillai la prudence, lui répétant qu'elle ne devait pas faire confiance à Hewitt et qu'elle s'embarquait dans une affaire dangereuse. Mais le plus extraordinaire fut la somme qu'elle consentit à lui payer.

— Il veut 250 000 livres (environ 373 000 euros), et je vais les lui donner, me dit-elle.

J'étais atterrée.

— Êtes-vous folle ? lui demandai-je. Si vous êtes prête à payer une telle somme, pourquoi ne pas signer des documents officiels ?

Rien à faire. Elle était bouleversée et n'écoutait pas la voix de la raison. Elle soutint qu'elle devait partir en Espagne parce que c'était son seul espoir de se débarrasser une bonne fois pour toutes de Hewitt.

Elle fut accompagnée dans ce voyage par Susie Kassem, épouse d'un riche banquier d'affaires arabe devenue une amie proche. Elle me raconta par la suite qu'elle avait transporté l'argent dans un fourre-tout.

Pour éviter d'être remarquée par les photographes qui guettent les célébrités dans les aéroports, Diana enfila une perruque. La ruse ne prit pas. Elle fut repérée sur le vol et, en arrivant à Benidorm, elle découvrit que l'hôtel choisi par Hewitt était assiégé par les photographes.

Elle m'appela cette nuit-là, en furie. Elle avait parlé à Hewitt au téléphone ; il lui avait dit qu'ils ne pourraient se voir à cause des paparazzis — elle était d'ailleurs convaincue qu'ils avaient été prévenus par Hewitt lui-même, moyennant finance.

Je lui conseillai de se calmer et de filer de là au plus vite. Sur ma suggestion, elle appela le directeur de l'établissement, qui se montra très serviable. Il fit venir devant l'issue de secours un taxi qui la conduisit directement à l'aéroport. Elle était de retour à Londres dix-huit heures plus tard, toujours avec l'argent, mais sans avoir vu Hewitt.

Diana ne m'a jamais montré les coupures, mais je ne doute pas qu'elle soit partie en Espagne avec cette somme en espèces. Elle était la seule personne de ma connaissance assez impulsive pour agir de la sorte. Par ailleurs, elle n'avait jamais vraiment eu la notion de l'argent, ni pour elle ni pour les autres.

Elle ne m'expliqua pas non plus où elle s'était procuré les billets. Son père lui avait certes laissé un héritage, mais on ne ressort pas de la banque avec un quart de million de livres, même quand on s'appelle Diana, princesse de Galles. Elle ne les trouva certainement pas auprès de Charles, très chiche avec elle à l'époque. Je peux seulement supposer qu'elle avait emprunté la somme à quelque riche relation, en promettant de la rembourser une fois qu'elle aurait obtenu les 17 millions de livres (environ 25 millions d'euros) du divorce en cours de règlement.

Ce n'étaient pas les détails financiers de cette transaction avortée qui la préoccupaient lorsqu'elle revint à Londres. C'était Hewitt. Elle me téléphona le jour de son retour et me demanda de venir la voir au palais de Kensington. Nous restâmes à discuter jusque tard dans la nuit. Elle était dans une rage folle.

— Je veux les lui couper, déclara-t-elle.

Et elle ne plaisantait pas. Elle était tout à fait sérieuse et, dans sa fureur, elle échafaudait déjà des plans pour le faire kidnapper et l'amener à KP, où elle l'attacherait et le castrerait. Et si son bourreau était brusquement entré dans la pièce cette nuit-là, je crois bien qu'elle aurait exécuté sa menace avec le plus grand plaisir.

Le plus ignoble, c'est que Hewitt semblait se soucier de la colère et du mépris de Diana comme d'une guigne. Il continuait de lui téléphoner, promettant un autre rendez-vous. Mais à chaque appel, le tarif montait. À la fin, la somme avait doublé et Diana fut bien forcée de constater qu'il se jouait d'elle et n'avait pas la moindre intention de lui rendre les lettres. Elle cessa de prendre ses appels et le laissa sombrer dans son « existence pathétique », tandis qu'elle se consacrait à la tâche autrement positive de reconstruire la sienne.

Cependant, elle eut beau essayer, elle ne put jamais se libérer totalement de James Hewitt. Il alla jusqu'à prétendre qu'elle lui avait confirmé sa liaison avec Mannakee. C'était un geste méprisable, indigne d'un gentleman, comme le fit observer Diana — sans compter que c'était un mensonge.

Mais ce qui la bouleversa le plus, ce furent les rumeurs sur la paternité de son second fils.

C'est à moi qu'échut la tâche déplaisante de les lui apprendre. Elle me pressait sans cesse de l'informer des derniers potins à son sujet ; aussi, un beau jour, ai-je pris mon courage à deux mains et lui ai-je annoncé qu'on murmurait que Hewitt était le père de Harry.

Elle voulut savoir pourquoi personne n'en avait soufflé mot. Et comme souvent, je lui répondis :

— Parce que la plupart de vos connaissances ne vous disent que ce que vous voulez entendre.

Ce dernier ragot n'était pas de son goût et elle le prit très au sérieux.

— Si les gens savaient compter, ils déduiraient que Hewitt n'y est pour rien, dit-elle.

Elle ressentit comme une grossière insulte le fait qu'on la croie assez stupide pour permettre une telle catastrophe.

— Il est tout à fait évident que Harry est un Windsor, dit-elle. Il a le teint des Spencer, mais les yeux de Charles.

On expliqua sans détour à Diana que ses fils devaient se soumettre à une analyse de sang et, bien sûr, celle-ci révéla que tout était en ordre. Hewitt lui-même a toujours nié être le père.

La rumeur, parvenue aux oreilles du prince Philip, détériora encore plus sa relation tendue avec sa belle-fille. Diana disait que c'était une « brute » et le traitement qu'il lui infligea durant les dernières années le confirme. Il lui écrivait régulièrement et certaines de ses lettres étaient atroces.

Elle me montra ces lettres lors d'une de ces longues soirées que nous passions dans son boudoir au premier étage du palais de Kensington. Diana était en train de se faire des mèches de couleur et d'essayer différents vernis, notamment bleu, et, pendant ce temps, nous feuilletions des papiers. S'intéressant beaucoup à la graphologie, elle avait un livre sur le sujet, et nous comparions les écritures des lettres avec les exemples qui l'illustraient.

Diana conservait avec soin des objets-souvenirs et sa correspondance. Elle cachait à différents endroits de son appartement les lettres d'amour qu'elle avait reçues, et ces cassettes infamantes qu'elle avait enregistrées. Certaines étaient dans un placard de sa chambre. D'autres sous des vêtements dans une commode. Elle avait également une petite cachette ménagée dans le mur de sa chambre. Les lettres que nous examinions étaient soigneusement rangées dans des chemises plastifiées dans un classeur en cuir frappé.

Si Paul Burrell faisait irruption avec le thé quand nous les regardions, elle refermait les boîtes pour lui dissimuler leur contenu. À peine quittait-il la pièce qu'elle les rouvrait.

Une grande partie des lettres en sa possession étaient de Charles et nous nous amusâmes beaucoup à essayer de décrypter sa personnalité grâce à son écriture. Mission impossible. Il n'y avait rien dans l'ouvrage qui ressemblât aux gribouillis en pattes de mouche du prince. Nous renonçâmes. Elle sortit alors une autre chemise, celle recelant les lettres du prince Philip.

Elles étaient généralement tapées et signées de sa main. L'une d'elles portait un post-scriptum particulièrement désagréable.

— Qu'en pensez-vous ? me demanda-t-elle.

Le texte commençait par un « Diana » brutal et se lançait dans des termes sans ambiguïté dans une critique vitriolée de sa personne. Grosso modo, à le lire, sa bru était une traînée.

Mais ce qui me stupéfia cependant, ce fut de lire dans un de ses courriers qu'il la considérait comme une mère indigne.

Le prince Philip prétend n'avoir écrit à sa belle-fille que des lettres compatissantes. C'est faux. Je les ai lues.

— Qu'en pensez-vous ? me demanda Diana une fois que j'en eus pris connaissance.

Je ne savais que dire. Je crois que j'étais plus choquée qu'elle, ce soir-là. Étant en possession de cette correspondance depuis un certain temps, sa colère et sa peine avaient pu s'apaiser. Mais c'était la première fois que moi, je les découvrais, et elles me firent l'effet d'une gifle en pleine face.

J'ignore ce qu'il est advenu de ces textes. Peut-être ont-ils été détruits par la mère de Diana, Frances Shand Kydd, qui escamota beaucoup de documents après la disparition de Diana pour préserver sa mémoire. Ou bien il se peut qu'ils soient entreposés quelque part dans les Archives royales.

Mais qu'on ne dise pas que ces lettres étaient bienveillantes et chaleureuses. Je les ai lues. Je sais.

– 5 –

OLIVER HOARE

La réputation de mangeuse d'hommes de Diana trouve son origine dans sa liaison avec Oliver Hoare.

Il était cultivé et très bel homme, mais une fois de plus, elle avait fait le mauvais choix.

Hewitt la méprisa et la mena en bateau. Mais Hoare était marié et ce fait entacha la réputation de Diana.

Je lui demandai si cela la gênait d'entretenir une liaison avec un homme marié. Elle répondit par l'affirmative. Mais elle tenta ensuite de se justifier en déclarant que Hoare n'aimait pas sa femme, qu'il avait promis de la quitter pour qu'ils refassent leur vie ensemble en Italie.

– Enfin, Diana... C'est ce que racontent tous les hommes mariés à leurs maîtresses. C'est la rengaine classique des coureurs.

Elle ne l'entendait pas de cette oreille. Je ne cessais de lui répéter de voir la réalité en face, de reconnaître qu'il était confortablement marié à une femme très riche qui lui avait donné trois enfants et que les hommes mariés dans une telle situation débitent les mêmes sornettes éculées, et prétendent quitter femme et enfants sans (presque) jamais le faire.

Nous étions en complet désaccord sur la question. Diana, comme toujours, voulait qu'on lui dise ce qu'elle avait envie d'entendre, c'est-à-dire — du moins le pensait-elle — qu'elle allait devenir la seconde Mme Hoare. Elle consulta astrologues, voyants et médiums à tour de bras, qui lui prédirent à l'unanimité que son vœu se réaliserait.

Tout à sa joie, elle me rapporta leurs prévisions. Je répondis qu'elles ne faisaient qu'alimenter de faux espoirs.

Elle nia énergiquement.

— Bien sûr que si, rétorquai-je.

— Il va m'épouser, insista-t-elle.

— Oui, quand les poules auront des dents, répondis-je avec mon tact habituel.

C'est à cette occasion que nous eûmes la dispute dont j'ai parlé au début de ce livre.

— Je ne vais pas vous mentir, lui expliquai-je. Je préfère vous dire la vérité, parce que je ne veux pas que vous vous berciez d'illusions : cet homme vous a bernée.

Et c'était vrai. Il l'avait séduite à coups de mensonges et de promesses ridicules. Il est évident qu'elle le trouvait séduisant, avec ses yeux bruns, ses cheveux noirs et son charme magnétique. Comme le disait Diana : « Avec lui, n'importe quelle femme faisait voler sa culotte. »

Hoare gravitait déjà dans l'entourage de Charles depuis quelques années quand il commença à s'intéresser à Diana. Il avait fait ses premiers pas dans la société londonienne comme « protégé » d'une riche Iranienne, Hamoush Azodi-Bowler, qui vivait dans l'opulence à Chelsea, dans l'ancien atelier du peintre Augustus John. Elle l'avait emmené à Téhéran, où il s'était intéressé à l'art islamique et au soufisme. Revenu à Londres, il s'était retrouvé à la tête du département islamique de la salle de vente Christie's. En 1976, il épousa Diane de Waldner, héritière d'une fortune pétrolière française, et s'était installé à Belgravia comme marchand d'art spécialisé dans l'Orient.

C'est par l'intermédiaire de sa femme, dont la mère était une amie de la reine mère, qu'il fut présenté au prince et à la princesse de Galles lors d'une soirée au château de Windsor. Et, en raison d'un intérêt commun pour l'art et le mysticisme oriental, Charles et lui se lièrent d'amitié.

De seize ans son aîné, Hoare était versé dans des domaines obscurs qui étaient totalement étrangers à Diana et pour lesquels elle n'avait jamais exprimé le moindre intérêt. En l'espèce, cela n'avait aucune importance. Il était intelligent, qualité qu'elle admirait. Son père, fonctionnaire, avait réuni assez d'argent pour l'envoyer à la prestigieuse école d'Eton, où il avait acquis un vernis cosmopolite. Il était également très sensuel. À la fin des années quatre-vingt, ayant mis un terme à sa relation avec Hewitt, Diana se mit à rechercher la compagnie d'Oliver Hoare. Il la familiarisa avec l'art oriental et le soufisme, et, contrairement à Hewitt, qui lui avait pris et soutiré tout ce qu'il pouvait, il refusa son argent et ses présents.

Car Hoare était le seul à faire les cadeaux, notamment deux bracelets anciens et un tapis persan, ce dont elle fut très flattée.

Diana n'était pas la première maîtresse de Hoare. Il avait été pendant des années l'amant d'Ayesha Nadir, épouse d'origine turque de l'ancien propriétaire de la chaîne de magasins de confection Polly Peck. Pour moi, la princesse de Galles n'était qu'un trophée de plus à son tableau de chasse.

La différence, c'est que si Mme Nadir se satisfaisait de ne l'avoir que comme visiteur occasionnel dans sa chambre à coucher, Diana le voulait tout entier pour elle seule. Elle écarta le vieux truc de la maîtresse qui tombe enceinte par mégarde — elle continua de prendre la pilule — mais elle ne fit pas mystère de ses intentions. Très vite, Hoare se retrouva prisonnier d'une situation qui lui échappait.

Au début, Diana trouvait amusant de porter un prénom similaire à celui de l'épouse de Hoare.

— Au moins, disait-elle, s'il parle dans son sommeil et prononce mon nom, sa femme croira que c'est le sien.

Cependant, la possessive Diana ne put supporter bien longtemps que son amant partage le lit d'une autre. Au regard de la loi, elle était l'épouse d'un futur roi. Pourtant, elle tenait à présent le rôle curieux de maîtresse d'un homme marié, et comme toutes les amoureuses de l'histoire, ce rôle ne lui suffisait pas.

Cela contribua à donner un tour dramatique à leur relation. Un jour, elle arriva à la clinique Hale avec des écorchures qu'elle s'était faites sur les bras et les jambes. Elle avait commencé à se mutiler en 1982 et continuait chaque fois que la pression de son existence la submergeait. Je lui donnai le meilleur conseil possible : au lieu de se détruire, elle devait visualiser sa peine et l'écrire, la peindre, ou passer ses nerfs sur un piano pour s'en débarrasser. Elle suivit cette recommandation, et s'aperçut au final qu'augmenter son entraînement sportif se révélait une soupape efficace. Elle cessa de se mutiler. Cependant, les cicatrices sur son corps étaient la preuve irréfutable des tourments causés par sa relation avec Hoare.

Elle me laissa écouter certaines de leurs conversations téléphoniques ; j'entendis Hoare lui faire des excuses, la supplier, promettre qu'il allait quitter sa femme d'un jour à l'autre. Diana criait, pleurait, suppliait. Leurs dialogues tournaient en rond.

L'épouse de Hoare n'avait pas l'intention de se laisser évincer sans combattre. Après leurs disputes, souvent orageuses, Hoare cessait de voir Diana ou de l'appeler pendant plusieurs jours, ce qui ne faisait qu'accroître la nervosité de la princesse. Dès qu'ils se revoyaient, elle fondait en larmes et le pressait de mettre fin à son mariage.

Hoare était pris entre deux feux et, s'il n'avait pas commis la sottise de séduire Diana, on l'aurait presque plaint. Mais il n'avait pas d'excuses.

À l'instar de Charles, il était incapable de gérer les émotions de sa femme, pas plus que les exigences affectives de Diana. Elle ne pouvait plus compter sur lui : il manquait leurs rendez-vous, elle écumait la ville pour le retrouver, se rongeait les sangs à l'idée qu'il était avec une autre — sa femme, notamment.

Chaque fois qu'elle l'exhortait à divorcer, il se levait et s'en allait.

Pour Hoare, la coupe était pleine. À la fin de l'année 1993, il quitta le domicile conjugal et emménagea dans l'appartement d'un ami non loin de sa galerie, en face de la gare de Victoria. Il ne resta que deux mois dans sa garçonnière. Mme Hoare tenait les cordons de la bourse et il rentra au bercail.

Leur réconciliation allait sonner le glas de l'idylle entre Diana et Hoare.

Pris dans ce tourbillon, les protagonistes de ce triangle amoureux en oublièrent toute prudence et la presse eut vent de l'histoire, avec les effets qu'on peut supposer. Au début de leur liaison, Diana et Hoare déjeunaient très ouvertement dans des restaurants comme le San Lorenzo de Beauchamp Place, à Knightsbridge. L'endroit appartenait à une certaine Mara, qui avait non loin de là un appartement où ils s'éclipsaient après le déjeuner. Le soir, Diana l'introduisait subrepticement au palais de Kensington par la cour de l'appartement voisin de la princesse Margaret. Les officiers de police assignés à la protection de Diana ne l'appréciaient pas. Ils le trouvaient arrogant et imbu de sa personne, mais rien ne transpira. Ce n'était pas leur rôle de se mêler de la vie privée de la princesse.

La presse n'étant pas liée par un tel souci de discrétion, les journalistes jouèrent avec les amants au chat et à la souris, Diana essayant désespérément d'éviter les photographes. Hoare vint à KP avec une couverture sur la tête. C'était dégradant, mais également ridicule. Et les querelles qui jusque-là faisaient rage derrière les murs du palais de Kensington ou de la résidence des Hoare, à quelques kilomètres de là, enchantèrent le public.

J'ignore comment Diane Hoare découvrit les manigances de son mari mais, à ce stade, elle ne pouvait plus guère les ignorer. Les rumeurs de la veille faisaient maintenant la une des journaux. D'une certaine façon, j'avais de la peine pour elle, car c'était humiliant. D'un autre côté, elle possédait toute la fortune et aurait pu lui donner un ultimatum, quitte à lui demander le divorce. Cela aurait mis un terme à cette mascarade d'une manière ou d'une autre. Il n'en fut rien. Elle laissa la situation pourrir et, pour moi, cela la rend complice des agissements de son mari.

Deux nuits de suite, Diana reçut des coups de fil anonymes, sur son portable et sur son téléphone fixe. Quand elle décrochait et demandait qui était à l'appareil, le mauvais plaisant coupait la communication. Ces appels étranges la troublèrent au point que je lui conseillai de porter plainte.

Elle refusa et me demanda s'il y avait moyen d'identifier son correspondant inconnu. Je lui suggérai de composer le 1471, le numéro permettant le rappel automatique du dernier appelant. Et c'est ainsi qu'elle découvrit le pot aux roses.

Diana était outrée. Ce harcèlement fut bref, mais il eut le mérite de lui donner des idées. Pour se venger, elle se mit à appeler chez les Hoare à toute heure du jour et de la nuit, parfois depuis son propre téléphone, mais le plus souvent depuis des cabines situées aux alentours du palais de Kensington.

Diana m'assura qu'elle n'en passa que quelques-uns, mais il est évident que, dans son désarroi, elle avait perdu le compte. Elle ne connaissait pas non plus grand-chose aux nouvelles technologies. Nous avions de longues conversations au téléphone, mais c'est seulement lorsque je fis l'acquisition d'un nouveau mobile que je m'aperçus qu'il était possible de masquer son numéro pour surprendre son interlocuteur. Je me précipitai au palais pour montrer à Diana comment s'y prendre, mais il était trop tard. Obsédée par Hoare, elle se postait en voiture devant sa boutique de Belgravia, où elle l'attendait des heures. La nuit, elle se garait devant chez lui, contemplait la fenêtre de sa chambre jusqu'à ce que la lumière s'éteigne et rentrait chez elle en larmes, pour rappeler son amant, et raccrochait dès qu'Oliver ou sa femme répondait, puis appuyait sur Bis aussitôt. Les Hoare reçurent tellement de coups de fil que Madame intima l'ordre à son mari de porter plainte. La police remonta la piste jusqu'au mobile de Diana, aux lignes du palais ou aux cabines voisines, et elle fut menacée de poursuites judiciaires.

Lui avoir montré comment se servir de son téléphone faisait théoriquement de moi sa complice, mais je ne culpabilisai pas. Oliver Hoare avait causé un chagrin immense à mon amie. Il lui avait juré qu'il allait divorcer, entretenant toutes les illusions de Diana. Il jouait avec ses émotions et c'était malhonnête. Je n'aime pas les menteurs. Le relatif préjudice que Diana lui causa n'est rien en comparaison de ce qu'il lui avait fait endurer. Toutefois, cela ne pouvait pas continuer.

Diana menaçait d'atteindre le point de non-retour, elle devait se calmer.

Au lieu de cela, elle se ridiculisa publiquement, ce qui arrangea le camp de Charles. Certains mirent en doute sa santé mentale. C'était injuste. Diana se croyait amoureuse. J'en doute encore, mais il n'en demeure pas moins qu'elle était très éprise d'Oliver. Elle n'était pas la première femme à se laisser emporter par ses émotions jusqu'à commettre des sottises, sans prévoir leurs répercussions.

Même les grands incendies s'éteignent d'eux-mêmes. Une fois Hoare retourné auprès de sa femme, Diana remarqua un changement en lui. Il devint de moins en moins fiable et, par moments, elle se demanda s'il prenait un traitement qui le rendait incohérent et hyperactif. Leur histoire se termina définitivement lorsque Diana le soupçonna d'avoir trouvé un nouveau jouet.

Toujours aussi jalouse, elle le suivit un jour depuis sa boutique et découvrit qu'il lui mentait sur son emploi du temps. Elle lui lança ses accusations au visage, il nia toute incartade. Incrédule, elle le traita de menteur : sa promesse de quitter sa femme ne valait rien, lui dit-elle.

— Dieu merci, vous avez enfin recouvré vos esprits, lui dis-je. Vous n'auriez pas dû avoir une liaison avec un homme comme lui.

Les affaires de cœur étaient un sujet de discussion constant entre nous et nous étions toujours très franches. Quand mon petit ami me laissa tomber, par exemple, elle me déclara sans ambages qu'il n'était pas fait pour moi, que je me porterais mieux sans lui et que, j'avais beau en rêver, nous ne nous réconcilierions jamais. Et lorsque je retrouvai mon sang-froid, je me rendis compte qu'elle avait absolument raison.

C'était à présent mon tour de lui offrir sinon des conseils du moins le réconfort et le recul qu'une tierce personne peut apporter dans une situation aussi déstabilisante. Avoir auprès de soi quelqu'un qui prend vos intérêts à cœur est toujours utile et elle me savait gré de mon franc-parler. Une fois qu'elle se rangea à mon avis, elle s'y tint. Coriace, Hoare l'appelait sans cesse, mais, dès qu'elle entendait sa voix, elle raccrochait violemment. Par la suite, elle changea le numéro sur lequel il avait l'habitude de l'appeler.

— Une fois que c'est mort, c'est mort, déclara-t-elle.

Malgré tout, cette liaison avait sali sa réputation. L'échec de son union lui avait certes valu un raz-de-marée de sympathies, mais là, l'Angleterre n'y entendait plus rien.

Cependant, la princesse avait une personnalité bien plus complexe qu'on ne se le figurait. Tout le monde oubliait ou refusait de reconnaître que c'était une femme comme une autre, et cela ne cadrait pas toujours bien avec l'image de la victime innocente précipitée dans les abîmes du désespoir par une belle-famille sans cœur.

Elle put constater en 1992 comment l'opinion publique se retourne à la suite de la diffusion des enregistrements d'une conversation privée qu'elle avait eue trois ans plus tôt avec James Gilbey, le soir du réveillon du Nouvel An, le prétendu « Squidgygate ».

Fils d'un négociant en vins, James Gilbey avait joué le rôle d'épaule secourable lorsque la liaison de Diana et de Hewitt s'était dégradée. Il l'avait notamment encouragée à rendre ses doléances publiques dans le livre de Morton et Diana lui rendait fréquemment visite dans son appartement de l'ouest de Londres. Les bandes du Squidgygate donnent à penser que leur relation dépassait les bornes d'une simple amitié. Elles regorgeaient de badinages d'adolescents.

Quand je questionnai Diana, elle soutint qu'il n'y avait rien entre eux. Sa défense m'évoqua celle de Clinton dans l'affaire Lewinsky. Les mésaventures du président américain la fascinaient. Elle ne le trouvait absolument pas à son goût mais elle se demandait : « À votre avis, à quoi ressemble son zizi ? »

Cependant, en ce qui concernait Gilbey, elle soutenait qu'ils n'avaient jamais « couché à proprement parler », comme elle disait toujours. « C'était très innocent. »

Elle se demandait cependant surtout comment ces conversations avaient pu être enregistrées. Elle se disait convaincue que « des gens » cherchaient à ruiner sa crédibilité. Les « gens » en question étaient les amis de Charles et les conseillers de Buckingham qui lui étaient de plus en plus hostiles. Sa relation avec Hoare et le harcèlement téléphonique dont elle était l'auteur avaient ravivé un flot de critiques. C'est alors qu'arriva Will Carling.

Elle fit la connaissance du capitaine de l'équipe nationale de rugby au Harbour Club, une salle de sport de Chelsea. Lui aussi lui offrit une épaule pour pleurer — sans compter qu'il la réconcilia avec son physique. Ses épaules maigrelettes et saillantes la préoccupaient, et grâce au programme de musculation qu'il lui concocta, elle put très rapidement remiser aux oubliettes les épaulettes rembourrées.

Carling impressionna beaucoup William et Harry, ce qui était normal : ils étaient jeunes et c'était un sportif de légende. Quant à Diana, elle appréciait sa compagnie. Mais le plus important, c'est qu'elle pouvait lui parler sans aucune gêne.

Et pour une fois, ce fut Diana qui utilisa un homme au lieu qu'il profite d'elle. Elle voulait retrouver la forme et décida que Carling était le meilleur coach possible. Il s'acquitta remarquablement de sa tâche, car, pour la première fois de sa vie d'adulte, elle se sentit bien dans son corps. De son côté, je crois que Carling était très fier de pouvoir se vanter d'être l'entraîneur personnel de la princesse de Galles.

Mais étant donné qu'il était marié, tout comme Hoare, on commença à jaser. Au début, comme d'habitude, Diana nia qu'il y eût autre chose que de l'amitié entre eux. Carling également. Comme les rumeurs persistaient, elle décida de les laisser courir, justifiant son absence de réaction au motif que toute déclaration ne ferait que les alimenter. Elle trouvait cela fort amusant.

Julia Carling ne riait guère. En septembre 1995, le divorce du couple fut annoncé et Julia ne cacha pas qu'elle tenait Diana pour responsable. Elle déclara avoir cherché à sauver son mariage « malgré toutes les tentatives d'une certaine personne pour le détruire », et, souhaitant rappeler le récent scandale d'Oliver Hoare, ajouta : « Ce n'est pas la première fois que cela se produit, et on est en droit d'espérer qu'on ne l'y reprendra plus. »

Une fois la séparation des Carling consommée, la presse prit le parti de Julia. Le *Sun*, qui avait déjà qualifié cette année-là Diana de « mangeuse d'hommes », la traita de « briseuse de ménages ». Un autre journal s'interrogeait : « Will Carling est-il le dernier jouet d'une princesse égoïste, manipulatrice et désœuvrée ? »

Diana resta imperméable à ces critiques. Elle n'éprouvait pas le moindre remords. Si Julia avait décidé d'être paranoïaque, raillait-elle, c'était son problème. Elle me confia également que, selon elle, l'amitié et l'adultère étaient deux choses différentes. Carling lui avait restitué sa confiance en elle, rien de plus. Pour elle, il ne comptait pas tant, même si sa femme s'imaginait le contraire.

L'affaire Hoare et les lamentations de Julia Carling avaient gravement gâché l'image de Diana auprès du grand public. C'est pour tenter de réparer les dégâts et de s'attirer à nouveau les faveurs de l'opinion qu'elle accepta d'accorder l'infamante interview à *Panorama*. Elle comptait mettre l'accent sur les œuvres de bienfaisance dont elle était la marraine et, lorsque Martin Bashir lui proposa l'émission, c'est précisément ce qu'il lui promit : l'entretien serait axé sur ses bonnes actions.

Bashir avait été présenté à Diana par son frère Charles, qui travaillait comme correspondant pour NBC aux États-Unis.

Je me trouvais par hasard au palais de Kensington au moment où Bashir réglait avec Diana, dans son boudoir, les derniers détails d'une « merveilleuse » émission consacrée à son travail humanitaire. En sortant de l'entrevue, enchantée, elle me déclara qu'elle était ravie qu'on privilégie son implication personnelle dans des combats honorables plutôt que son image de potiche blonde. Pour elle, l'émission allait valoriser ses efforts en faisant connaître son action humanitaire.

— Enfin, quelqu'un prend au sérieux ce que je fais, soupira-t-elle.

Et nous passâmes un long moment à discuter des sujets qu'elle allait aborder.

Peu après, nous nous querellâmes comme cela arrivait parfois et je perdis contact avec elle pendant une quinzaine. Cette fois, c'était à cause d'un caprice. Elle m'appela un matin, apparemment bouleversée, et exigea de me voir sur-le-champ. Je lui expliquai que j'avais un rendez-vous prévu de longue date avec une femme clouée dans un fauteuil roulant, et que j'avais même pris une assistante pour m'aider à la transporter sur la table de soins. Ma patiente avait réservé un taxi pour le transport et moi une salle spéciale pourvue d'une table hydraulique.

Je me sentais coupable, mais je ne pouvais rien faire : je devais m'en tenir à mes engagements. Diana était dans un tel désarroi qu'elle n'écouta même pas. Elle avait trop pris l'habitude qu'on cède à toutes ses lubies, mais je ne m'en formalisai pas. Je ne juge pas les gens. C'était mon amie et je la prenais telle qu'elle était. Quand bien même, nous restâmes fâchées jusqu'au lendemain de la diffusion de l'interview dans *Panorama*, le 20 novembre 1995.

Je l'avais regardée chez moi. Quelle erreur avait-elle commise ! Elle était mal maquillée et l'émission était lamentable de bout en bout.

Diana m'appela le lendemain matin. Elle ne s'excusait jamais après nos disputes : elle reprenait là où nous nous étions arrêtées, comme si de rien n'était. Elle me demanda si j'étais occupée et se lança aussitôt dans le sujet qui la préoccupait. Est-ce que j'avais vu la télévision ? Qu'en avais-je pensé ?

— Vous voulez une réponse franche ou vous voulez que je vous dore la pilule ?

— Une réponse franche.

— Vous vous êtes couverte de ridicule, répondis-je alors. Avec vos yeux exorbités, on aurait dit Myra Hindley [*tueuse en série surnommée la « tueuse de la lande », qui défraya la chronique dans les années soixante et présente effectivement une certaine ressemblance avec Diana*]. C'est ce qui se voyait le plus : le maquillage raté et votre auto-apitoiement. C'était tout sauf professionnel.

Notre amitié était fondée sur la franchise, pas sur la flatterie. Elle encaissa. Elle me demanda si je pouvais aller acheter la presse et prendre la température de l'opinion. Je descendis au supermarché et la rappelai à peine rentrée. La moitié du pays avait regardé l'interview et la réaction n'était pas très positive.

— Saviez-vous que votre cote de popularité a chuté de moitié ? lui demandai-je. Mais ce qui est fait est fait, et maintenant, vous devez vraiment réfléchir à la suite. Et bien choisir à l'avenir ceux qui vous conseillent.

J'étais furieuse contre Bashir. Diana était vulnérable, en 1995, comme elle l'expliquait elle-même : « J'étais bouleversée par ce qui se passait. Martin était là, je lui ai dit tout ce que j'avais sur le cœur. » Pour moi, il avait profité d'elle, c'était une évidence. Quand je le lui expliquai une semaine plus tard, elle en convint.

— Et tout ce que vous deviez dire sur vos œuvres humanitaires ? demandai-je

Elle leva les yeux et rougit. Puis, dix minutes plus tard, alors que nous étions passées à autre chose, elle se tourna vers moi :

— Vous avez raison.

Par la suite, elle m'expliqua qu'elle avait bavardé à bâtons rompus avec Bashir et qu'il lui avait suggéré : « Et si vous répétiez cela devant les caméras ? » Si j'avais été là, je l'en aurais dissuadée et je lui aurais conseillé de s'en tenir aux œuvres de charité comme prévu. Mais comme nous nous étions bêtement disputées, je n'étais pas auprès d'elle pour lui rappeler la prudence. Diana s'était laissé emporter et avait accepté de donner une interview franche et sans limites dans laquelle elle avouait sa liaison avec Hewitt et exprimait ses doutes sur les capacités de Charles comme futur souverain.

En l'entendant prononcer ce soir-là des paroles qui semblaient tout sauf spontanées, bon nombre de téléspectateurs furent convaincus qu'il s'agissait d'une attaque préméditée contre la famille royale. Diana finit par regretter toute cette histoire qui avait mis sa vie privée sous le feu des projecteurs à l'heure où elle espérait passer à autre chose.

– 6 –

« MES FILS CHÉRIS »

Diana prenait ses devoirs de mère très au sérieux.

Je l'ai vue réconforter William et Harry quand ils étaient malades ou tristes, leur apprendre à s'occuper des plus défavorisés. Et c'est Diana et non Charles qui initia William et Harry aux choses du sexe.

Ce qui ne signifie pas pour autant qu'elle ne rencontra aucun problème au cours de leur éducation. Comme en témoignent tous les parents, s'occuper de deux garçons turbulents n'est pas aisé et des éclats de voix n'étaient pas rares.

D'ailleurs, un jour, William était tellement en colère contre sa mère qu'il alla jusqu'à la pousser avec force. La vie n'est pas simple lorsqu'on a pour mère une femme aussi célèbre.

Mais c'était bien sûr couru d'avance. Diana me répétait toujours qu'elle tenait fermement à ce que ses fils aient « une enfance normale. Je ne veux pas qu'ils endurent ce que leur père a subi. Regardez le résultat ! ».

Malgré ses efforts, les garçons n'étaient jamais traités « normalement » quand ils étaient en présence de courtisans. Ils étaient riches, privilégiés et bardés de titres, et William était destiné à devenir roi. Ce qui les mettait à part de tous les autres enfants britanniques.

Parfois, je m'interrogeais : peut-être le prince Charles n'avait-il pas tout à fait tort quand il tentait de la convaincre d'élever leurs fils selon la tradition royale en insistant plus sur le protocole que sur les agréments de l'existence. A posteriori, néanmoins, j'estime que Diana avait vu juste. Les incartades de Harry, en particulier, auront été douloureuses, mais au moins en aura-t-il retenu la leçon. Seule l'expérience nous apprend à distinguer le bien du mal, à éviter de faire souffrir autrui et, surtout, à prendre nos responsabilités. Si nous étions d'accord en matière d'éducation, Diana nourrissait des convictions très personnelles sur ce sujet.

Elle espérait épargner aux « garçons », comme elle disait, les règles impitoyables et la discipline que leur père avait observées dans sa jeunesse et qui, selon elle, l'avaient rendu inapte à la franchise et à la sensibilité. « Qu'ils sortent et qu'ils s'amusent comme tous les enfants de leur âge ! » clamait-elle.

À certains égards, ces beaux principes étaient voués à l'échec, mais Diana ne céda pas d'un pouce et permit aux garçons de connaître une existence où les contraintes royales étaient relativement allégées. La tour d'ivoire dans laquelle Charles voulait les confiner (soutenu en cela par la reine mère, qui se piquait de croire que rien n'avait changé depuis son enfance au début du siècle) aurait constitué une bien piètre préparation aux affaires du monde moderne.

Quand Harry goûta aux drogues, comme bien des adolescents, les journaux s'en repurent. Il y eut ensuite le brassard nazi qu'il arbora lors d'une soirée. Des sottises révélatrices d'une grande immaturité, que nul n'aurait relevées s'il n'avait été prince.

Je ne crois pas un seul instant qu'il ait pensé à mal en se déguisant en officier de l'Afrika Korps du maréchal Rommel, pour cette soirée d'anniversaire. Harry, comme William, ressemble bien trop à sa mère pour vouloir offenser délibérément quiconque. Diana avait en elle trop de bonté et de respect pour piétiner les sentiments d'autrui et elle transmit cela à ses fils, que j'ai toujours considérés comme des jeunes gens aussi charmants que délicieux.

Elle s'efforça également de les préparer aux critiques auxquelles ils seraient fatalement exposés.

– Je leur ai expliqué que ce que l'on dit d'eux n'a aucune importance, du moment qu'ils savent qu'ils sont aimés et désirés, me raconta-t-elle. Et ils le sont !

J'ai rencontré Harry la première fois lorsqu'il dut quitter son école, Ludgrove, et rentrer au palais de Kensington parce qu'il ne se sentait pas bien. Il avait dix ans et était assis sur les genoux de sa mère, blotti contre son épaule et suçant son pouce.

Il me déclara qu'il était vraiment content d'être là tout seul et de ne pas devoir partager sa maman avec William. Bien que n'étant pas dans son assiette, il fit l'effort de me parler et me demanda ce que je faisais.

Quand je rentrai chez moi, Diana m'appela pour me dire qu'il était très observateur, car, sans que personne le lui dise, il avait deviné que j'aimais les chats, les bougies et les cristaux, ce qui est exact. Elle était ravie de son intuition, mais je la soupçonne de l'avoir un peu aidé. C'était un garçon adorable et courageux qui excellait en sport. Souffrant de dyslexie, il dut bénéficier de soins particuliers avant de pouvoir lire et écrire. Cela le complexait, et Diana s'efforçait de le rassurer à la moindre occasion.

Elle n'eut pas autant de soucis avec William, assez brillant pour décrocher une place à Eton sans qu'on usât d'influence. La célèbre école est très sélective et elle fut très fière qu'il récoltât de si bons résultats à l'examen d'entrée.

— C'est un crack, me dit-elle, débordante d'orgueil maternel.

William se moquait gentiment de sa mère quand elle manifestait ce genre d'enthousiasme. Harry également. Ils adoraient la taquiner, elle et tous les gens que leur sens de l'humour prenait pour cible. De plus William, qui est un imitateur hors pair, adorait appeler des gens en se faisant passer pour son père. Je fis même les frais de ses canulars téléphoniques.

Je reçus chez moi un appel surprenant, puisque je crus reconnaître au bout du fil la voix à l'accent caractéristique qui fait les délices des humoristes :

— Comment avez-vous rencontré mon épouse ? entendis-je.

Il me connaissait déjà suffisamment bien pour savoir

quelles questions me poser sur mon travail et ma vie. Je tombai dans le panneau.

— Ici Charles.

Je fus prise de court et lui demandai pourquoi il m'appelait.

C'est alors qu'il éclata de rire et que j'entendis Diana pouffer derrière lui.

William est un grand farceur et il ne compte plus ses victimes. C'est aussi un maniaque du téléphone, penchant qu'il doit sans doute à sa mère, qui semblait toujours avoir un mobile collé à l'oreille. C'est d'ailleurs au téléphone qu'eut lieu notre première conversation.

— Qui est à l'appareil ? me demanda-t-il ce jour-là.

— Qui êtes-vous ? questionnai-je.

— C'est William. Vous voulez parler à maman ?

— Oui.

— Elle n'est pas là.

Nous aurions pu nous en tenir là, mais pas avec William. Il voulut savoir qui j'étais, puis il me déclara qu'il avait entendu parler de moi et me bombarda de questions : comment j'avais connu sa mère, où j'habitais, combien je gagnais, pourquoi j'avais des chats et pas des chiens, si j'avais des enfants, si j'étais mariée, et pourquoi j'étais célibataire, qu'est-ce qui avait cloché, qui étaient mes parents, étaient-ils mariés, etc.

Étais-je l'une des voyantes de sa mère ? s'enquit-il. Je répondis que je n'étais pas extralucide et que je préférais le terme de « praticienne holistique », mais qu'en effet je percevais certaines choses chez mes patients. Cela l'intéressa au plus haut point et il souhaita que je lui en dise plus sur lui-même. Je lui répondis qu'à son âge il n'avait vraiment pas besoin de se soucier de ce que lui réservait l'avenir.

— Vous êtes trop jeune, lui dis-je.

— Sûrement pas, répliqua-t-il.

Nous bavardâmes pendant une quarantaine de minutes et cela me fit un drôle d'effet de subir un tel feu de questions de la part de quelqu'un de si jeune. Et malgré mes mises en garde, il voulait vraiment connaître l'avenir.

Aux yeux de Diana, William allait faire un roi exceptionnel, même si, à l'époque, la fonction ne l'intéressait pas. Il la redoutait, plutôt. Il est Gémeaux, signe doté d'un esprit curieux et changeant. Lorsqu'ils sont jeunes, il importe de leur apprendre à ne pas se disperser et veiller à ce qu'ils ne s'ennuient pas. Diana, qui avait fait dresser son thème astral, disait qu'il était né sous une étoile royale, ce qui signifiait que la position de ses planètes le destinait à de grandes choses. Je ne suis pas partisane de dévoiler leur avenir aux enfants et Diana en convenait. Elle fut amusée, puis agacée, d'apprendre que William avait appelé sa médium, Rita Rogers, pour la consulter, mais elle n'était pas très bien placée pour le critiquer, car c'est un trait qu'il tenait d'elle.

Dans d'autres domaines, William était tellement raisonnable que la majorité des adultes pourraient en rougir. Adolescent peu ordinaire, il brillait par sa maturité. Diana le surnommait « mon petit vieux sage ».

— Je n'ai aucun secret pour mes garçons, m'affirmait-elle.

Elle s'était fait un point d'honneur de les impliquer dans ses œuvres de bienfaisance. Elle les emmenait dans les hospices, leur faisait rencontrer des malades du sida afin de dissiper tous les préjugés qu'on nourrit à leur égard. Pour elle, rien ne comptait tant que de les initier à l'autre aspect de l'existence, raison pour laquelle ils l'accompagnaient dans ses visites chez les sans-abri pour distribuer vêtements et nourriture, ce qui insuffla à William et Harry le sens du devoir.

Quand elle expliqua que certains de ces malheureux étaient là « par choix », parce qu'ils voulaient fuir leur quotidien, William ne masqua pas son incompréhension. Quelle existence était assez pénible pour qu'on préfère dormir sous les ponts ? Cela le frappa tellement que, lorsque la BBC diffusa un débat en 1997 sur l'avenir de la royauté, William suggéra que les palais soient mis en vente pour financer la construction de foyers pour les déshérités ou, mieux encore, qu'ils soient eux-mêmes transformés en foyers. Il s'emporta tant qu'il gronda sa mère, qui appelait ce soir-là des numéros surtaxés :

— Vous vous rendez compte qu'au lieu de gâcher de l'argent au téléphone, vous pourriez me le donner pour que j'en fasse quelque chose d'utile ?

Si Diana téléphonait ce soir-là, c'était pour voter contre l'institution même dont son fils était censé hériter. Elle pressait la touche Bis pour augmenter le nombre des appels en faveur de l'abolition de la monarchie. Curieux comportement en l'occurrence, surtout quand on a le futur roi assis à son côté, mais révélateur de la facette rebelle de Diana. Nous discutions beaucoup de l'avenir de William, mais lorsque je suggérai qu'il embrasse une carrière artistique, étant si créatif, elle répondit qu'il ne gagnerait jamais sa vie dans cette branche et devait poursuivre des études de commerce. C'était important de gagner de l'argent, disait-elle, comme si elle oubliait que William était supposé devenir l'un des hommes les plus riches du monde.

Le poids de leur avenir causa parfois des frictions entre les deux frères. Ils étaient toujours en compétition, encouragés par la reine mère, qui comblait de ses attentions l'aîné, en ignorant pratiquement son petit frère. Cela n'arrangeait certainement pas les complexes de Harry, et c'est aussi pour cela que Diana avait pour lui autant d'affection.

En retour, les deux garçons l'adoraient, et ils étaient ravis quand leurs amis leur disaient qu'ils auraient rêvé de l'avoir pour mère. Certaines femmes de son âge étaient plutôt mal fagotées, alors que Diana, toujours très glamour, s'intéressait de près à la vie de ses fils. Elle cuisinait même William pour savoir s'il avait déjà embrassé des filles et, le cas échéant, quel effet cela lui faisait. Cela le gênait au plus haut point, mais elle était à l'affût de tout, surtout quand il s'agissait de ses relations avec le sexe opposé.

Quand ils étaient petits, toute leur affection allait à leur mère et Diana me raconta qu'à l'époque William répétait qu'il aurait voulu épouser sa maman si on l'avait laissé faire. Harry s'était joint à la partie en disant que c'était lui qui l'épouserait. Une dispute s'était ensuivie et William avait déclaré qu'un seul pouvait prétendre à la main de sa mère et que, étant l'aîné, ce serait lui. Sans compter qu'il allait être roi et ferait ce qui lui chantait.

Plus tard, William interrogea Diana sur les stars de cinéma qu'elle connaissait, lui demanda si elles étaient aussi belles en vrai qu'à l'écran, et la supplia de lui rapporter leurs autographes. Complètement toqué de Cindy Crawford, il avait punaisé un poster d'elle au-dessus de son lit au palais. Diana invita donc la top model à prendre le thé, mais William fut si intimidé qu'il rougit comme une pivoine et proféra à peine deux mots.

Son embarras atteignit des sommets quand Diana trouva des magazines érotiques cachés sous son lit. Elle feignit la colère, le gronda pour le piètre choix de sa cachette... mais elle était secrètement ravie.

— Dieu merci, me dit-elle, c'est un garçon normal... contrairement à d'autres dans la famille royale.

Aborder les questions de sexualité avec ses enfants ne la comblait pas d'aise. Elle me demanda conseil. Je n'étais pas très inspirée, ayant fait mon éducation sexuelle avec des copines d'école. Je ne croyais pas les petits princes aussi ignorants des choses de la vie, mais si c'était le cas, c'était la preuve que, en dépit des efforts de Diana, ils vivaient vraiment dans un monde à part. Finalement, puisque Charles ne voulait pas s'en mêler, elle jugea qu'il valait mieux qu'elle leur parle.

Elle fut très franche avec eux :

— Je vais vous expliquer d'où viennent les bébés.

William ne s'émut guère et posa beaucoup de questions. Harry, en revanche, fut horrifié.

Diana insista notamment sur l'importance de l'amour entre deux êtres. Elle leur expliqua que, lorsqu'un homme et une femme se rencontraient et tombaient amoureux, ils pouvaient avoir un enfant. Elle ajouta que, parfois, des gens qui n'étaient pas amoureux avaient des enfants qu'ils ne désiraient pas et que, dans les cas extrêmes, cela amenait la mère à boire ou à se droguer. Diana avait lu des livres de pédopsychologie dans lesquels on préconisait de souligner les obligations morales, afin d'induire que le sexe est tout autant affaire de plaisir que de responsabilités.

C'était un sujet un peu épineux, on s'en doute, mais elle s'en tira avec les honneurs.

– Simple question de bon sens, dit-elle en conclusion.

Elle nourrissait la crainte que les problèmes qu'elle avait eus avec leur père ne viennent ternir leur conception du mariage. Elle fut très claire sur la question et s'efforça d'expliquer que Charles et elle s'aimaient encore mais qu'il avait parfois des difficultés à exprimer son amour.

William eut du mal à accepter cette situation. Ses premiers mois à Eton furent troublés par les articles de presse faisant état de l'amitié entre sa mère et le rugbyman Will Carling. Puis il y eut l'interview pour *Panorama*.

La réaction de William catastropha Diana. Il refusa de lui adresser la parole jusqu'à son retour au palais, où le conflit éclata. Il lui reprocha vertement de ne pas l'avoir averti de la diffusion de l'entretien, d'avoir dit des horreurs sur son père et d'avoir parlé de Hewitt. Ses amis ne manquèrent pas de l'asticoter. À ses yeux, elle s'était ridiculisée, et l'avait ridiculisé lui aussi dans la foulée.

Il cria et tempêta et, lorsqu'elle voulut le prendre dans ses bras, il la repoussa sans ménagement.

Le lendemain matin, il alla la trouver dans sa chambre et lui offrit un bouquet de fleurs. Mais elle restait convaincue qu'il la détesterait éternellement et, quand je la vis dans l'après-midi, elle était au trente-sixième dessous.

— Qu'est-ce que j'ai fait à mes enfants ? se lamenta-t-elle.

Elle tenait à eux plus qu'à tout au monde et se promit qu'à l'avenir elle n'aurait pas de secrets pour eux. La crise s'apaisa et les baisers et câlins qu'elle leur prodigua les réconcilièrent.

Hélas, elle ne pouvait offrir à William et Harry ce qu'ils désiraient le plus : une famille heureuse et unie. En 1995, elle leur demanda ce qu'ils voulaient pour Noël et ils répondirent en chœur :

— Que maman et papa se remettent ensemble.

Diana fondit en larmes, car ils avaient formulé son vœu le plus cher.

– 7 –

DIVORCE

Au fond de son cœur, Diana n'a jamais vraiment voulu se séparer de Charles et encore moins que leur relation se termine par un divorce définitif.

Elle fut abasourdie quand, le 18 décembre 1995 au matin, elle reçut en main propre une lettre de la reine lui disant que « dans l'intérêt du pays... un divorce rapide est souhaitable ».

Diana interpréta le message comme un ordre et le prit très mal. Elle m'appela aussitôt, la voix chargée de larmes :

— Personne n'a le droit d'ordonner à quelqu'un de faire une chose pareille. C'est une décision qui revient au couple concerné.

J'allai immédiatement la voir. Elle avait quelques rendez-vous ce jour-là, mais elle était trop sur les nerfs pour les honorer. Nous nous préparâmes de la tisane et allâmes discuter dans son boudoir.

Elle ne comprenait pourquoi « ce désastre » s'était abattu sur elle : depuis des mois, elle interrogeait ses voyants, qui lui avaient promis à maintes reprises que le mariage tiendrait bon.

— C'est impossible, gémissait-elle. Ils m'avaient garanti que Charles et moi allions nous réconcilier.

Je n'avais cessé de lui seriner de ne pas accorder de crédit aux « diseurs de bonne aventure », qu'elle était l'artisane de sa déception. Je n'hésitais pas à lui signifier qu'entre elle et Charles, le fossé était trop large et les dégâts trop graves pour qu'ils oublient le passé, mais elle ne m'entendait pas. Droguée au paranormal, elle croyait ces pseudo-devins infaillibles et les laissait lui dicter sa conduite. Quand elle s'aperçut que leurs prédictions étaient très éloignées de la réalité, elle toucha le fond.

L'avenir qu'on lui avait fait miroiter s'étant évanoui, elle se réfugia dans le déni. Même avec la lettre de la reine à la main, elle continuait de prétendre que ce n'était pas possible, qu'il restait une chance et que tout s'arrangerait en définitive.

Avec un peu de recul et un soupçon de raison, elle aurait compris que les sornettes des voyantes n'y changeraient rien. Elle était officiellement séparée de Charles depuis trois ans et trois jours — elle allait même jusqu'à décompter les heures et les minutes. Rien ne s'était passé qui augurât d'une réconciliation. Tout au plus s'étaient-ils éloignés l'un de l'autre en se murant dans leurs différends.

Une dispute fielleuse les opposa à cause d'une dénommée Tiggy Legge-Bourke, fille de l'une des anciennes dames de compagnie de la princesse Anne, que Charles avait prise à son service après leur séparation pour s'occuper de William et Harry. Tiggy était une fille joviale et pleine d'humour qui s'entendit sans peine avec les garçons. De retour pour un week-end chez Diana après quelque temps passé avec leur père, ils lui apprirent innocemment que Charles et Tiggy étaient proches ou qu'ils avaient vu la jeune femme sortir de la chambre du prince. L'explication en était que, après le départ de la princesse, Charles s'était détendu ; l'ambiance était désormais moins collet monté à Highgrove. Diana conclut évidemment à une liaison entre Tiggy et son mari.

— Je sais ce qu'ils font, me dit-elle.

En guise de preuve, elle me montra une photo parue dans les journaux du matin, où Tiggy portait une broche en diamant aux armes du prince de Galles.

— Oui, et qu'est-ce que cela prouve ? objectai-je.

Diana était prête à sortir et portait un tailleur à rayures bleu marine qui jurait avec son humeur massacrante. Furieuse, les joues en feu, elle ne tenait pas en place.

— Charles n'est pas aussi généreux, riposta-t-elle. Vous le savez bien, Simone. Il n'a jamais donné de telles broches en diamant qu'à ses maîtresses. Et il a toujours besoin d'avoir deux femmes à la remorque.

Ne connaissant pas Tiggy et n'ayant qu'une très vague idée du personnage, je restai jusqu'à 15 heures à écouter Diana vitupérer sans pouvoir la calmer. À un moment, en désespoir de cause, elle sortit ses runes, les éparpilla sur le tapis et les interrogea :

— Charles a-t-il une liaison avec Tiggy ?

Les runes donnèrent une réponse incompréhensible.

Pire que cette liaison supposée, c'était la relation que Tiggy entretenait avec les jeunes princes qui l'ulcérait. Elle sauta au plafond en lisant dans les journaux que Tiggy les appelait « mes petits ».

— Ce sont *mes* enfants, fulmina-t-elle. Et non les siens. Elle n'a aucun droit de les appeler « mes petits ».

L'orage était dans l'air. Il éclata à la soirée de Noël que le prince et la princesse de Galles continuaient de donner chaque année pour leur personnel, malgré leur séparation. Celle-ci se déroula au Lanesborough Hotel, à Hyde Park Corner, le 14 décembre, quatre jours après que Diana eut reçu la lettre de la reine.

Je m'attendais au pire car Diana m'avait convoquée à KP quelques jours plus tôt, à l'aube.

— Venez chez moi, s'il vous plaît. Il faut que je vous parle.

— Ne dites pas de sottises, je ne suis pas levée, je n'ai pas pris mon bain ni bu mon thé.

Il était déjà 9 heures du matin.

— Vous pourrez boire tout le thé qu'il vous plaira ici, lâcha-t-elle.

— Et le bain ?

— Vous n'aurez qu'à le prendre ici.

Je déclinai poliment. Diana n'avait aucune inhibition et m'invitait souvent dans sa salle de bains pour discuter pendant qu'elle se baignait. Parfois, lorsque nous étions en pleine conversation, elle tenait à ce que je la suive aux toilettes pour ne pas interrompre le fil de sa pensée. J'étais pour ma part d'un tempérament plus pudique.

Une heure plus tard, quand j'arrivai au palais de Kensington, je trouvai Diana encore plus tendue qu'au téléphone. Elle m'offrit du thé, et nous nous assîmes par terre dans le boudoir, adossées à un hippopotame géant en peluche.

— Il faut que je vous parle de Tiggy. Elle est en train de ruiner ma vie et elle essaye de me voler mes garçons.

Je tentai de la raisonner.

— Même si elle a une liaison avec Charles, quelle importance ? Ce sont aussi les enfants du prince, mais ils n'ont rien à voir avec Tiggy.

Diana ne se laissa pas apaiser. Elle envisagea d'avertir Camilla que son royal amant la trompait à son tour – moins pour lui rendre service que pour blesser Mme Parker Bowles. Je lui défendis de commettre une telle imprudence en l'absence de tout élément de preuve. C'est alors qu'elle me confia une nouvelle certitude : Tiggy était enceinte de Charles. Elle l'avait déjà dit à beaucoup de monde et était ravie de cette méchanceté, heureuse de rendre à la nounou la monnaie de sa pièce. Je me doutais qu'elle ne s'arrêterait pas en si bon chemin. À la soirée de Noël, elle s'empressa de saluer Tiggy et lui décocha une flèche empoisonnée :

— Je suis vraiment désolée pour votre bébé, dit-elle à voix haute, sous-entendant qu'elle s'était fait avorter.

Tiggy exigea des excuses par l'intermédiaire de ses avocats. La lettre fut transmise à Robert Fellowes, secrétaire privé de la reine et beau-frère de Diana, qui écrivit à la princesse. Sa lettre arriva le même jour que celle de la reine. Diana l'ignora. Son forfait l'avait mise en joie.

— Croyez-moi, répétait-elle, je sais de quoi je parle.

Diana jouait les détectives et se donnait un mal fou pour épier son mari. En l'occurrence, elle avait dépassé les bornes et s'était attiré des ennuis. Comme à maintes reprises auparavant, elle avait laissé ses émotions prendre le dessus, obnubilée qu'elle était par une quête illusoire de la vérité, au point d'occulter le fait que Charles et elle étaient séparés et qu'elle avait des amants de son côté.

Elle se justifiait en prétendant qu'elle n'avait agi ainsi que pour se venger de la liaison entre Charles et Camilla et du mépris du prince à son égard. Je savais pertinemment, tout comme elle, qu'elle avait autant besoin d'un amour inconditionnel que de respirer, ce que Charles était bien incapable de lui offrir.

Mais cela ne lui donnait pas licence pour aller voir ailleurs. Charles avait une conception démodée et sexiste de la fidélité. Pour lui, s'il avait le droit d'avoir des liaisons, sa femme devait se cantonner au rôle d'épouse modèle. Diana soutenait — légitimement, selon moi — qu'elle avait droit à la même liberté qu'il s'accordait. Mais quand elle en usa, elle fournit à Charles l'occasion et l'excuse de passer plus de temps avec Camilla.

Tout cela bouleversait Diana. Elle avait joué la mauvaise carte et, désorientée, commença à s'en vouloir. Je ne connais personne qui culpabilisât autant. Tout se serait bien passé si seulement elle avait été capable de maîtriser ses émotions, elle aurait pu surmonter ses crises conjugales si elle s'était mariée moins jeune...

Pour elle, la faute en revenait à sa mère et à la façon dont elle l'avait élevée.

Par-dessus tout, elle imputait son échec personnel à sa silhouette : aurait-elle été plus mince, Charles l'aurait désirée et tout serait rentré dans l'ordre. C'était un symptôme de la boulimie dont elle avait souffert presque toute sa vie d'adulte et qui ne la quitta qu'un an environ avant sa mort. Malgré le sport et les régimes restrictifs, qui lui dessinaient une ligne superbe, le miroir lui renvoyait l'image d'une femme trop en chair. Autrement dit, dans son esprit, laide. Mes protestations n'y faisaient rien.

Elle se figurait qu'en clamant sa souffrance lors de l'interview pour *Panorama*, elle forcerait Charles à revenir à elle. Quelle erreur de jugement ! Martin Bashir avait trouvé le bon filon et il l'avait exploité à fond. À force d'amabilités, il avait réussi à persuader Diana d'en dire plus que la bienséance ne le permettait. En déclarant qu'elle voulait devenir ambassadrice de bonne volonté et « régner dans le cœur des gens », elle demandait simplement qu'on lui donne la possibilité d'aider le monde entier grâce à ses œuvres humanitaires. Mais beaucoup crurent qu'elle avait formulé des prétentions sur le domaine constitutionnel réservé à la reine.

Elle ne cessait d'osciller entre colère et désespoir.

Après la lettre lui demandant d'enclencher au plus vite la procédure de divorce, Diana appela sa belle-mère à Windsor. Au cours de cette longue discussion, la princesse supplia la reine de comprendre qu'elle voulait, envers et contre tout, renouer avec Charles.

D'abord pour le bien des enfants, mais aussi parce qu'elle aimait son mari et espérait vraiment sauver leur mariage. C'était une situation désespérée : pour Diana, pour la reine qui compatissait manifestement beaucoup aux malheurs de sa belle-fille, mais aussi, plus curieusement, pour Charles, si l'on en juge par la lettre qu'il envoya à sa femme peu de temps après. Elle était charmante, pleine de regrets, et il prenait la peine d'affirmer que cette affaire navrante l'attristait. Le prince et la princesse étaient alors en froid, mais l'injonction de la reine les avait secoués. Diana me montra la lettre, écrite de la main de Charles, et d'après le ton général, je déduisis qu'il avait été aussi atterré par l'ordre de divorcer que Diana, et qu'il était effondré devant cette issue irréversible.

Cette lettre constitua la dernière expression de l'affection de Charles, car à peine les négociations de divorce commencèrent-elles que les querelles éclatèrent de nouveau, comme cela arrive fréquemment quand les avocats s'en mêlent. Le début de l'année 1996 ne fut pas rose. Diana était mitraillée de toutes parts. Quand elle m'appela le matin où on lui apporta les papiers juridiques, elle était hystérique.

Le bureau de son avocat Anthony Julius venait de les lui livrer. Il s'agissait de deux volumes épais de dix centimètres chacun. Elle les avait manifestement feuilletés avant que j'arrive.

— Regardez-moi ça ! lançait-elle en désignant tel ou tel paragraphe.

Je la pris par l'épaule pour la réconforter. Elle tremblait. Julius lui avait dit que c'était normal dans les affaires de divorce : chaque parti se bat âprement, puis on finit par s'accorder sur un compromis.

— Ce ne sont pas les termes définitifs, la rassurai-je. C'est normal en pareil cas, cela fait simplement partie des négociations.

— Non ! s'écria-t-elle en se dégageant brusquement.

— Si !

Le monde de Diana s'écroulait. Elle frissonnait tellement que je lui préparai une camomille, dans l'espoir de la calmer, mais cela ne suffit pas. La tête entre les mains, les coudes sur le comptoir d'acier de la cuisine, elle serrait les dents, furieuse et dépitée.

Les termes provisoires du divorce étaient en effet très sévères. Si elle désirait quitter le pays pour tout motif officiel, elle devait demander une autorisation spéciale. Je lui objectai qu'elle n'avait aucune raison, de crier car elle ne pourrait pas se poser en rivale de Charles — et encore moins de la reine.

— Vous allez devoir renoncer à certaines choses. Vous n'aurez pas le droit de gagner votre vie en travaillant comme tout le monde ni de devenir ambassadrice de bonne volonté. Vos déplacements seront restreints.

— Ils veulent me garder sous leur joug.

— Bien évidemment. Vous êtes un électron libre pour eux.

Elle en convint et cette pensée la ragaillardit.

Mais ce qui la terrifiait vraiment, c'était la possibilité qu'on lui enlève ses enfants. Oui, la famille royale peut se montrer impitoyable lorsqu'elle juge ses intérêts en péril. Son mariage avait rendu Diana célèbre et lui avait donné une stature incroyable. Voilà qu'on la congédiait sans lui accorder la moindre fonction dans laquelle canaliser son énergie. Même ses prérogatives de mère étaient remises en question.

Sans trop y réfléchir, Diana avait pensé qu'elle serait la première consultée dans l'éducation de ses enfants. Mais William était l'héritier du trône (Harry étant le suivant sur la liste) et cela changeait complètement la donne. On n'allait pas l'autoriser à avoir le dernier mot. Aucun des deux enfants qu'elle avait eus avec le prince de Galles ne serait jamais à elle seule. C'était un fait de la vie royale que Diana avait toujours accepté, mais, selon les documents préalables du divorce, son insubordination lui vaudrait de ne plus jamais voir ses enfants.

C'était hors de question. Acculée, pétrifiée, Diana avait l'impression qu'on la privait de sa vie. Selon les partisans de Charles, elle ne devait son malheur qu'à son insoumission. C'était une vision simpliste et décidément bien désuète de l'Angleterre. La Grande-Bretagne n'est plus une société rigide où la déférence prend le pas sur les droits des individus. Je lui démontrai qu'au pire elle pourrait toujours se tourner vers la Cour européenne des droits de l'homme. Elle n'en avait jamais entendu parler et je lui en exposai brièvement le fonctionnement. Elle trouva l'idée excellente et je suis certaine qu'elle y aurait recouru si les avocats de Charles avaient mis leurs menaces à exécution.

Sans doute n'ignoraient-ils pas qu'elle était prête à tout, car ils rabaissèrent leurs prétentions.

Les points de friction ne manquaient pas. Ce qui nous amena à passer bien des jours et des nuits à discuter de ses problèmes dans son boudoir ou à la cuisine en mangeant des pâtes maison, des repas préparés par son chef ou des plats cuisinés italiens (j'allais les chercher, et elle faisait la vaisselle). Chaque jour apportait un nouveau drame. Diana accusait Charles, tandis que je lui conseillais d'en vouloir plutôt à l'avocate du prince, Fiona Shackleton.

Cependant, Charles ne lui facilitait pas la vie. Durant les négociations, il décida de diminuer sa pension en soulevant d'interminables objections sur le train de vie ruineux de la princesse. En 1994, ses amis avaient communiqué au journaliste du *Daily Express* le montant des dépenses annuelles de Diana – 160 000 livres (environ 239 000 euros), répartis en 91 000 mille livres (environ 135 000 euros) pour l'habillement et 95 000 mille (environ 140 000 euros) en frais de coiffeur. De toute évidence, le prince n'était plus disposé à financer les « extravagances » de son épouse, et, lorsque les avocats commencèrent leurs marchandages, pour la première fois depuis son mariage, Diana dut faire les comptes.

Bien tentendu, la plupart des créateurs lui fournissaient gratuitement des tenues en échange de la publicité qu'elle leur faisait. Comme je ne pouvais me permettre ce genre de largesses, elle s'agaça et me rétorqua qu'elle ne pouvait plus payer les honoraires pour nos séances, commencées à la clinique Hale et que nous poursuivions désormais au palais. Lorsque je lui envoyai une facture pour plusieurs mois de soins, elle m'appela et prétendit que, malgré la généreuse réduction que je lui accordais, c'était encore au-dessus de ses moyens. Je lui proposai d'en discuter une prochaine fois, mais elle tint à ce que je vienne sur-le-champ.

En arrivant, je la trouvai en haut de l'escalier, en train d'agiter ma facture :

— C'est trop. Charles a diminué ma pension.

La note se montait à 600 livres (environ 900 euros), ce qui n'était pas grand-chose pour Diana, mais beaucoup pour moi. Je n'étais pas d'humeur à chipoter, et notre amitié valant plus que mes émoluments, je m'emparai de la facture et la déchirai. Diana descendit de ses grands chevaux et me proposa en compensation une puissante chaîne stéréo encore emballée.

— J'en ai déjà une, répliquai-je.

— Eh bien, vous n'aurez qu'à utiliser celle-ci dans une autre pièce de votre appartement.

Je dus lui expliquer que mon logement entier aurait tenu dans son salon et que je ne pouvais accepter. Elle me demanda alors ce que je voulais d'autre et je répondis que je serais ravie qu'elle m'offre l'une de ses bougies parfumées à cinq mèches, dans un pot en terre cuite entouré d'osier.

La compagnie du téléphone ne fut pas aussi conciliante. Elle réclamait le paiement intégral des factures — et celles de Diana étaient astronomiques, atteignant les 5 000 livres (environ 7 500 euros) et même une fois le double. Charles ne comprenait pas comment c'était possible. Diana non plus, qui avait toujours eu une très vague notion de la valeur de l'argent, c'est le moins qu'on puisse dire. Moi, je savais. Je passais avec elle des heures au téléphone, tous les jours, jusque tard dans la nuit. Pour elle, le téléphone était une sorte de doudou, son lien avec le monde extérieur, et cela lui coûtait des fortunes. Je lui suggérai de demander à ses correspondants de la rappeler. Malheureusement, elle employa cette solution avec moi et, lorsque mes factures explosèrent, je dus me rétracter.

Charles avait renoncé à contrôler la frénésie dépensière de sa femme. Cela ne l'empêchait pas d'exercer des pressions, ce qui est compréhensible, étant donné qu'en tant qu'héritier du trône il devait ménager sa position. Mais c'était sa façon de procéder qui contrariait Diana. Elle recommença à prendre des somnifères. Les avocats royaux essayaient de l'intimider comme ils avaient cherché à intimider Tony Armstrong-Jones lors de sa séparation d'avec la princesse Margaret, ou le capitaine Mark Phillips lorsqu'il divorça de la princesse Anne. L'un et l'autre lui conseillèrent de ne pas céder. Ce qu'elle fit, mais à grand-peine. L'affaire Tiggy avait laissé des traces amères et les querelles concernant l'avenir de William et Harry la meurtrissaient. Ses enfants étaient tout pour elle et le fait que leur père, pour lequel elle éprouvait encore tant d'amour, se serve d'eux comme levier dans les négociations la dépassait.

Cela indique à quel point Diana était coupée des réalités. Passée d'étudiante à princesse du jour au lendemain, elle n'avait pas eu le temps d'apprendre que les relations humaines sont fondées sur les compromis. Elle avait une vision romantique, chimérique et quasi enfantine de l'amour et du mariage, et, dans sa candeur, elle voulait que Charles incarne un personnage qu'il n'était pas. L'homme de ses rêves devait se consacrer à elle, vingt-quatre heures sur vingt-quatre et sept jours sur sept. Elle s'accrochait à l'idée qu'elle et les enfants manqueraient tellement à Charles qu'il quitterait Camilla et lui reviendrait. En même temps, elle refusait fermement que ses enfants soient sous l'influence de la famille royale or, si Charles acceptait une réconciliation, William et Harry seraient inévitablement sous la coupe de ses éminences grises. Ce paradoxe lui échappait. Son obsession envers Camilla l'aveuglait. Diana l'accusait de tous les maux et il me fallut du temps et beaucoup de persuasion pour la convaincre que Camilla n'était pas la seule coupable. Elle finit par se ranger à mes avis :

— Elle ne peut pas être entièrement mauvaise, finalement. Elle est Cancer, comme moi, donc elle a forcément des qualités.

Cette reconnaissance en demi-teinte des éventuels mérites de sa rivale, bien que seulement du point de vue de l'astrologie (Diana était née un 1er juillet, Camilla le 17, quatorze ans plus tôt), n'améliora pas le climat entre les deux époux. À sa décharge, Diana n'utilisa jamais les enfants comme argument dans les négociations du divorce. Par-dessus tout, elle n'essaya jamais d'empêcher leur père de les voir.

Si elle considéra cela comme une concession, ce ne fut pas le cas de Charles. Comme Diana, il était convaincu d'avoir le droit pour lui et, plus les négociations se prolongeaient, plus il se montra intransigeant. Diana n'était pas la seule à le trouver pénible, à l'époque. La reine en avait eu son content.

Élisabeth II continuait à prêter à Diana ce qu'elle appelait une « oreille attentive » – une faculté d'écoute dont la reine n'était pas avare. Pour le bien de la monarchie, mais aussi parce qu'elle aimait sa belle-fille, elle souhaitait que le couple mette de côté ses différends et tente la réconciliation. C'était le vœu de Diana, ainsi qu'elle l'exprimait lors de ses fréquentes visites à la reine. Elle revenait d'ailleurs de ces entrevues gonflée d'optimisme. Cependant, leurs entretiens n'apportaient aucune solution véritable au problème car, si attentionnée qu'ait été la reine, elle ne parvenait pas à fléchir son fils.

D'après ce que me racontait Diana, il était évident que Charles ne s'entendait pas avec sa mère. Elle se souvenait d'avoir assisté à d'épouvantables disputes. Si Charles avait du mal à garder son calme, il n'allait pas jusqu'à hausser le ton devant la reine, mais, selon Diana, il lui arrivait de se montrer odieux. En fait, il était grossier avec elle. À plus de quarante ans, il jugeait avoir atteint un âge où il pouvait se conduire comme il l'entendait, sans avoir à en référer constamment à sa mère et à ses conseillers. Désormais, ils étaient à couteaux tirés. C'était la maison de Windsor contre la maison de Galles – Diana était donc perdante sur les deux tableaux. Jouant le tout pour le tout, elle déclara à la reine qu'elle accorderait une deuxième chance à son mari, à condition qu'il ne revoie jamais Camilla.

Charles refusa. D'après mes conversations avec Diana, je déduisis que Charles avait conclu qu'il n'aurait jamais dû épouser Diana, mais passer outre les desiderata de ses parents et épouser Camilla. Comme disait

Diana, « Charles est un lâche ». Il n'était pas disposé à racheter ses faiblesses passées en ressuscitant un mariage scellé contre son gré. Il lui avait fallu vingt ans pour comprendre qu'il ne voulait vivre qu'avec Camilla, au point qu'envisager de vivre avec une autre était une faute morale.

À ce stade, même Diana pouvait reconnaître que le mariage était définitivement enterré. Peut-être la reine avait-elle vu juste, peut-être était-il temps de couper les ponts. Mais une fois cette prise de conscience opérée, Diana se mit en tête d'extorquer à la Couronne les meilleures conditions financières possibles.

Les premières sommes proposées étaient vraiment mesquines.

— Cela ne vous durera pas bien longtemps, lui dis-je.

Je lui rappelai que les tribunaux étaient de nos jours plus enclins à accorder à l'épouse jusqu'à la moitié des biens du mari, et, comme Charles bénéficiait du revenu du duché de Cornouailles, cela représentait une vaste somme. Elle me demanda d'estimer ce patrimoine. Comme je l'ignorais, nous enquêtâmes, dénichâmes un chiffre et décidâmes qu'elle pouvait demander la moitié.

Elle accepta finalement 17 millions de livres (environ 25 millions d'euros), assortis du droit de voir William et Harry tous les cinq week-ends. Diana jugea cela insuffisant. Même si elle n'était pas très réaliste pour les questions d'argent, elle savait qu'elle avait touché gros, mais elle voulait assurer sa subsistance pour le restant de ses jours.

Elle dut également régler les frais du divorce, qui étaient exorbitants.

— Mais c'est du vol pur et simple ! s'indigna-t-elle lorsqu'elle reçut la note d'honoraires d'Anthony Julius.

— Quand je pense que vous avez râlé quand je vous ai présenté une note de 600 livres, lâchai-je.

Cela la fit rire, mais la facture de l'avocat beaucoup moins.

— C'est de l'escroquerie ! protesta-t-elle, jurant qu'elle ne traiterait plus jamais avec des avocats si elle en avait le choix.

La somme n'était pas exceptionnelle. Comme le faisait observer Diana, beaucoup de femmes divorçant d'hommes bien moins riches que Charles avaient obtenu nettement plus d'argent sans souffrir l'indignité de restrictions imposées à leurs activités futures. Elle ne conservait même pas le prédicat d'Altesse royale et dut accepter de renoncer à faire figurer les initiales honorifiques HRH *(Her Royal Highness)* devant son nom.

— C'est leur manière de m'évincer jusqu'au bout, conclut-elle.

La priver du HRH était pour la famille royale une façon de lui signifier qu'elle était désormais une étrangère. Diana déclara sans équivoque qu'on avait beau lui avoir ôté son statut, il était hors de question qu'elle s'incline devant sa voisine, Son Altesse royale la princesse Michael de Kent, désormais au-dessus d'elle dans la hiérarchie aristocratique.

— HRH ou pas, je ne témoignerai aucune déférence à cette garce, pesta-t-elle.

Hormis l'humiliation, la perte de son rang ne l'accabla pas. Nous convînmes que ce n'étaient jamais que trois lettres qui ne représentaient pas grand-chose dans le monde moderne.

– J'ai mes enfants, ma maison, et le plus rassurant, c'est ce que m'ont dit les garçons quand je leur ai appris que je n'avais plus de rang d'altesse : « Vous serez toujours maman pour nous. »

Et cela signifiait bien plus pour elle que tous les HRH du monde.

Le 28 août 1996, le divorce fut prononcé. Diana fit aussitôt modifier son papier à lettres en « Diana, princesse de Galles ». Elle soutenait qu'elle aimait toujours Charles, mais la terreur de l'abandon et de la solitude l'avait quittée. Je sentis qu'elle était heureuse que tout soit enfin terminé.

– 8 –

ROBES À VENDRE

Même lorsqu'elle ne portait qu'un jean et un large tee-shirt, comme le plus souvent lorsque nous étions ensemble, Diana était l'incarnation du glamour.

Je n'étais pas la seule que son allure impressionnait. Elle faisait rêver les femmes du monde entier : comme les anciennes stars de Hollywood qu'elle admirait tant, elle avait le pouvoir de lancer les modes, qu'il s'agisse des robes dos nu, des jodhpurs, des blousons d'aviateur ou tout simplement de la célèbre coupe de cheveux « Lady Di ».

Du coup, lorsqu'elle décida de vendre une grande partie de sa garde-robe, il ne s'agissait pas pour elle de se débarrasser de quelques tenues démodées mais d'une déclaration d'indépendance.

C'est du moins ainsi que beaucoup interprétèrent la vente chez Christie's qui se tint à New York en juin 1997. Mais personne ne devina que Diana, en dispersant les tenues de son passé, prouvait par là que ses relations avec Charles s'étaient améliorées.

Pour souligner ce rapprochement, Diana avait écrit dans le catalogue : « L'idée de cette vente merveilleuse m'a été inspirée par une seule personne... notre fils William. »

Le mot essentiel était « notre », signe de conciliation à l'égard de Charles.

— Pourquoi personne ne l'a-t-il remarqué ? me demanda-t-elle.

— Parce que les gens regardaient ailleurs, répondis-je.

En effet, les journalistes s'intéressaient plus aux détails sordides des négociations du divorce qu'aux tentatives d'apaisement, et cette spectaculaire mise aux enchères semblait presque un affront. Certes, la famille royale fait parfois don de vêtements à des associations caritatives, mais discrétion et anonymat sont de rigueur. Pour des raisons protocolaires, aucune vente publique n'avait jamais eu lieu. William décida pourtant de rompre avec cette tradition, et Charles laissa faire sans protester.

William avait eu cette idée durant les vacances de Pâques, lors d'un séjour familial à Barbuda, dans les Caraïbes. Un jour, à la plage, son fils aîné remarqua :

— Maman, vous n'avez vraiment pas besoin de tous ces vêtements. Pourquoi n'organisez-vous pas une vente de charité ?

Diana avait toujours son portable à portée de main, même lorsqu'elle lézardait sur une chaise longue (elle m'offrit d'ailleurs un paréo proclamant « Même au paradis, il y a le téléphone. ») : elle m'appela immédiatement.

— William a eu une idée fabuleuse... et il ne réclame que dix pour cent !

Il plaisantait, bien entendu, et il y eut encore bien des écueils à surmonter avant que les vêtements parviennent au commissaire-priseur. Lorsque William fit cette proposition, ses parents étaient engagés dans une douloureuse bataille qui n'épargna personne ; la reine elle-même y fut mêlée. En avril 1996, un mois après le retour de Diana et des garçons des Caraïbes, Élisabeth II devait célébrer son soixante-dixième anniversaire à la Waterside Inn, dans le Yorkshire, un établissement recommandé par le Michelin. La souveraine s'aventurait rarement dans les restaurants publics et elle attendait cette occasion avec impatience. La soirée, organisée par le prince Edward, était top secret, mais Diana vendit la mèche à la presse. Le dîner dut être déplacé à Windsor Great Park, au grand dam de sa belle-mère, qui lui lança :

— Je vous remercie, Diana, de m'avoir encore gâché une soirée.

Diana ne regretta pas son geste.

— Devinez ce que j'ai fait, me lança-t-elle avant de tout me raconter.

En guise d'explication, elle ajouta :

— J'ai juste cherché à m'amuser un peu. Ils sont vraiment trop coincés !

Elle trouvait cela très drôle. Ce n'était pas la première fois qu'elle se conduisait comme une gamine : avec un peu de recul, elle aurait compris qu'elle se vengeait inconsciemment des souffrances infligées par sa belle-famille.

Le principal point de conflit au cours des tractations concernait l'avenir de William et de Harry. Terrifiée à l'idée de les perdre, elle resta longtemps incapable du moindre échange courtois avec Charles.

Une fois ces problèmes réglés et le divorce prononcé, le prince et la princesse de Galles s'aperçurent cependant qu'ils avaient beaucoup en commun. C'est le décès de Laurens van der Post qui les rapprocha. Charles tenait en haute estime ce sage, l'un des parrains de William. Diana était nettement moins révérencieuse à son égard. Elle considérait van der Post comme un « vieux croûton » qui exerçait trop d'influence sur son malléable époux. Mais lorsqu'il décéda à l'âge de quatre-vingt-dix ans, en décembre 1996, elle témoigna à Charles toute sa sympathie.

Le prince lui fut reconnaissant de cette attitude et le prouva. Il passa prendre le thé et bavarder au palais de Kensington. Peu à peu, Diana et Charles reconstruisirent une relation qui avait failli être totalement détruite par le fracas de leur séparation. Quand elle me téléphonait, elle s'interrompait parfois pour me signaler : « Mon ex est là. » Charles devint très vite le plus proche confident de Diana et tous les autres tombèrent en disgrâce.

Toutefois, cela ne lui suffit pas pour accepter l'invitation de la reine pour les fêtes de fin d'année à Sandringham. Diana détestait Noël à cette époque : elle avait rarement les garçons à ses côtés depuis la séparation, et cette saison n'évoquait pour elle que de mauvais souvenirs.

Car sa mère avait quitté le foyer familial à Noël, l'abandonnant alors qu'elle n'avait que six ans. Elle ne surmonta jamais ce traumatisme, et les fastes de la

Couronne n'apaisaient aucunement ce sentiment d'abandon qui la submergeait chaque année fin décembre.

Pourtant, elle prenait toujours un immense plaisir à dénicher des cadeaux pour sa famille et ses amis. Elle m'offrit un carré de soie peint à la main de chez Bulgari, mais je ne portais pas de foulards et lui en fit la remarque. Elle ne se formalisa pas, me suggéra de l'encadrer et, quelques jours plus tard, je reçus une corbeille de fruits exotiques de chez Fortnum & Mason accompagnée d'une carte : « Tout ce que vous aimez, tel quel ou en jus de fruits – du moment que c'est bon pour la santé. »

C'était tout à fait dans l'esprit de Noël et, si elle avait pu organiser les festivités, je suis certaine qu'elle y aurait pris plaisir. Mais Diana ne fut jamais autorisée à avoir son Noël à elle. Depuis son mariage, elle avait été cantonnée au rôle d'invitée (pas toujours bienvenue, d'ailleurs) à la soirée de sa belle-mère. Elle n'aimait pas la compagnie de la famille royale, encore moins les rituels archaïques imposés par la reine mère et maintenus par sa fille.

Une fois le divorce officialisé, Diana jura qu'elle ne s'infligerait plus jamais l'« épreuve » des Noëls royaux.

Elle préféra célébrer son premier Noël en célibataire, au K Club de Barbuda, où elle était allée à Pâques avec les garçons. Elle me supplia de l'accompagner :

— Nous nous amuserons tant, toutes les deux ! Il vaut mieux lézarder au soleil et bavarder en tête à tête que de se parler au téléphone ou au palais de Kensington.

Elle ne précisa pas si c'était une invitation – le voyage était hors de prix pour moi –, mais je refusai parce que j'avais d'autres projets. J'avais convié ma sœur et ma mère pour le réveillon ; de plus, ma mère étant en mauvaise santé, je ne pouvais quitter le pays. Je regrette maintenant d'avoir décliné son offre. Il faut toujours saisir les occasions, car elles risquent de ne pas se représenter : ce fut malheureusement le cas.

Comme je n'étais pas disponible, Diana emmena son assistante personnelle, Victoria Mendham, jeune femme âgée de vingt-sept ans. À en juger par ses coups de fil, le séjour ne fut pas un succès.

Diana s'amusait : elle nageait, jouait au tennis, chahutait avec les enfants qu'elle rencontrait sur la plage. Elle me confia cependant qu'elle supportait mal les habitudes alimentaires de Victoria.

– Je crois que Victoria est malheureuse, me disait-elle régulièrement au téléphone. Vous supporteriez, vous, à chaque repas, de regarder quelqu'un ne manger que du pamplemousse ?

Comme Victoria maigrissait, Diana lui demanda si elle était boulimique et lui conseilla un spécialiste. Elle était bien intentionnée. Après tout, si quelqu'un connaissait ce problème, c'était bien elle. Dans le cas de Victoria, toutefois, Diana se convainquit que c'était plutôt une obsession qu'un problème médical. Victoria travaillait pour elle depuis sept ans et l'idolâtrait : elle voulait lui ressembler, être aussi mince qu'elle.

Cette attitude ne plut pas à Diana et je sentis que leur collaboration touchait à sa fin. Quelques jours après leur retour des Caraïbes, Victoria commit l'erreur de ne pas couvrir la princesse qui avait rendez-vous avec Hasnat Khan. La presse avait eu vent de son amitié avec Hasnat Khan et Diana cherchait à brouiller les pistes : elle me fit notamment téléphoner à Clive Goodman, du tabloïde *News of the World*, pour confirmer qu'elle voyait encore Oliver Hoare. Mais le journaliste ne me crut pas et déclara qu'il allait vérifier. De son côté, Diana essayait désespérément de prévenir Victoria, qui pour une fois était sortie et ne savait rien du stratagème. Goodman réussit à la joindre et lui demanda si la princesse était toujours en contact avec Oliver Hoare.

— Bien sûr que non ! répondit Victoria.

Goodman en déduisit que Khan était le nouvel homme dans la vie de Diana. Cette dernière licencia aussitôt Victoria. Elle exigea même le remboursement du billet pour Barbuda, ce qui était puéril et odieux, car elle savait pertinemment que Victoria ne pouvait se permettre de tels voyages avec son salaire annuel de 25 000 livres (environ 37 000 euros).

Si la fin fut brutale, ce ne fut pas une surprise pour autant. Victoria était son amie, mais tôt ou tard Diana rompait les liens. C'était sa soupape de sécurité. « Je vous éloigne avant que vous puissiez me faire du mal » : tel était son raisonnement. C'était une mesure de protection, et Victoria ne fut qu'une victime de plus. Elle en conçut un chagrin immense, car elle vénérait la princesse, au point de racheter ses vêtements donnés à des œuvres ou vendus à des friperies. Elle aurait sans doute adoré s'offrir l'une des robes proposées aux enchères, mais ce n'était pas dans ses moyens.

Diana se souciait peu de l'identité des acquéreurs ; elle s'amusa à l'idée que certains vêtements soient achetés par des travestis. Elle s'inquiétait seulement des bénéfices, or le succès fut au rendez-vous : la vente réunit 3 250 000 dollars (environ 2 700 000 euros), qui furent reversés à une association de lutte contre le sida, l'Aids Crisis Trust.

Diana ne dévoila jamais le prix initial de ses tenues. Cela ne l'intéressait pas. Pour elle, le vêtement comptait, pas l'étiquette. D'ailleurs, il y en avait tant qu'il fallut plusieurs jours pour les trier. J'étais la première personne à qui elle avait fait part de son projet et nous commençâmes à passer ses toilettes en revue le lendemain de son retour de Barbuda.

Ses habits étaient rangés dans son immense dressing blanc au rez-de-chaussée du palais. La première chose qu'on remarquait en y entrant, c'était une armoire à pharmacie remplie de vitamines et de compléments alimentaires.

Ensuite se trouvaient les portants, qui formaient un L le long du mur du fond. Un grand miroir occupait la cloison de gauche, et il y avait une table et un siège pour les couturiers qui venaient faire des retouches. La pièce était éclairée par une petite fenêtre assez haute. Il nous fallut trois heures pour effectuer un premier tri.

Je ne les comptai pas, mais il devait y avoir plus de cent tenues, dont une robe entièrement brodée de perles. J'en découvris une autre, magnifique, que Diana n'avait jamais portée.

— Elle est tellement peu moi ! Si je l'avais mise, je me serais transformée en citrouille.

Je ne pouvais imaginer Diana en guenilles, mais le fait qu'elle ait choisi l'analogie de Cendrillon montrait son peu de confiance en elle. Chaque robe était un masque derrière lequel elle se cachait.

Bien des couturiers se servirent d'elle comme d'un portemanteau plutôt que de concevoir à son intentioin des vêtements seyants. Par exemple, John Galliano créa une robe qui paraissait splendide sur les croquis, mais qu'elle détesta totalement au final. Il lui avait envoyé les dessins, accompagnés d'un mot exprimant son désir de l'habiller. Comme il lui fallait une robe de soirée pour le bal de gala annuel de l'Institut du costume du Metropolitan Museum de New York, en décembre 1996, elle accepta. Elle me montra son croquis préféré, qui aurait été parfait en taffetas de soie un peu raide. Mais lorsque Galliano se présenta à Kensington pour les essayages, Diana s'aperçut que la robe était taillée dans une soie très fine. Elle était trop gênée pour protester, mais elle me confia : « J'ai fait une grossière erreur. Je déteste cette tenue. »

Elle était affreusement déçue.

— Il ne doit pas aimer les femmes, répondis-je. S'il vous voit ainsi, vous feriez aussi bien de sortir en chemise de nuit, parce que c'est à cela que sa « création » ressemble.

C'était le premier modèle de Galliano pour Dior. Ce fut le premier, et le dernier, qu'il réalisa pour Diana. Il n'avait pas compris la vision qu'elle avait d'elle-même. Il lui avait fallu du temps pour trouver son style et les fluctuations de sa vie intime se devinaient à travers sa garde-robe. Il y avait le look petite fille perdue, la période royale où elle essaya de s'habiller comme une princesse anglaise traditionnelle, la période Hollywood où, faisant fi des conventions de la cour, elle arbora strass

145

et glamour, puis les tenues à la Chanel inspirées de la sophistication décontractée de Jackie Onassis et d'Audrey Hepburn.

Par exemple, elle appelait le numéro 38 du catalogue « ma robe *Vacances romaines* », la jugeant parfaite pour le film dans lequel Audrey Hepburn échappe à sa suite pour trouver l'amour avec l'homme de son choix. Nous regardions souvent ensemble de vieux films le samedi après-midi sur l'immense télévision de son boudoir. Diana aimait les mélos et *Vacances romaines* était parmi ses préférés. « J'envie tant cette princesse qui a pu mener une vie normale l'espace d'une journée », me répétait-elle.

La 79 était la robe qu'elle arbora lors de sa première visite à la Maison-Blanche, où elle dansa avec John Travolta. Sur les photos, elle resplendissait, mais la soirée ne lui avait pas plu.

— J'en aurais gardé d'agréables souvenirs si cela n'avait pas été aussi affreux avec Charles, à l'époque.

Cela ne diminua pas la valeur de la robe, qui fut adjugée pour 133 835 livres (environ 200 000 euros).

La 75 appartenait à ce qu'elle appelait sa « période hollywoodienne ». Elle était moulante, très Rita Hayworth. Diana l'avait portée avec de longs gants de satin noir et un bracelet de diamant à la première des *Liaisons dangereuses* et fut ravie de la revoir. Elle ôta son jean et tenta de la mettre, mais elle avait repris du poids depuis : comme elle n'entrait plus dedans, la robe fut mise en vente.

La 31 était une erreur : une longue robe vert foncé coupée comme un smoking d'homme, qu'elle portait aux dîners officiels de Balmoral. Diana, en pure citadine, n'aimait guère les Highlands d'Écosse.

— C'est parfait quand on est du genre qui adore tuer des bêtes, mais là-bas je ne pouvais que me promener.

La robe était jolie, mais trop décolletée dans le dos et donc pas adaptée pour une région où, comme elle disait « il gèle dans les maisons comme dehors, été comme hiver ». Elle ne trouva pas preneur.

La 59 était surnommée les « rideaux », car Diana avait toujours eu l'impression qu'au moindre geste de la main, les pans se seraient écartés pour dévoiler sa poitrine. Quand elle portait la 48, elle craignait chaque fois de tomber, et lorsqu'elle réessaya la 23, elle fut prise d'un tel fou rire qu'elle en perdit l'équilibre. On aurait dit une pièce montée avec petits nœuds et rubans roses.

— Comment ai-je pu porter des horreurs pareilles ?

Certaines dataient de l'époque où elle suivait les conseils vestimentaires de la reine mère. S'efforçant de s'intégrer à la cour, elle avait écouté ses suggestions dans l'espoir de satisfaire sa belle-famille.

— Elle avait un goût atroce, d'où ces tenues affreuses, conclut Diana.

La 28 me rappela ma chambre de jeune fille, que j'avais peinte d'un bleu criard. « Il ne te reste plus qu'à coller des étoiles argentées au plafond pour ouvrir un restaurant indien », m'avait dit ma mère. La 43 ressemblait à une crème chantilly, et elle détestait la 34, très reine mère.

Cette dernière avait aussi beaucoup influencé son choix des chapeaux. La plupart des femmes modernes n'en portent qu'en certaines occasions, mais en tant qu'épouse de l'héritier du trône, Diana devait arborer constamment un couvre-chef. Tel était le protocole, et la reine mère le faisait appliquer à coups de regards réprobateurs et de commentaires acerbes. Diana avait essayé d'apporter un soupçon de style et d'individualité à ses coiffures, mais quand nous examinâmes les cartons et commençâmes à essayer les chapeaux, elle convint que certains lui donnaient un air ridicule – et à moi pire encore.

Elle insista pour m'offrir l'une de ses robes.

– Prenez celle que vous voulez, me dit-elle.

– Mon placard est déjà plein à craquer : comme vous, j'ai conservé beaucoup de tenues que je ne porterai plus jamais, dont un trop grand nombre datant des années soixante-dix ! Par ailleurs, aucune de vos robes ne pourrait m'aller. Autant forcer une cheville carrée dans un trou rond.

– Alors, prenez des chaussures, décréta-t-elle.

Elle adorait les souliers pointus à petit talon fabriqués sur mesure par Jimmy Choo et elle en possédait assez pour contenter Imelda Marcos. J'en essayai une paire :

– Vous avez de plus grands pieds que moi, lui fis-je remarquer.

Diana maniait ses robes avec soin, même celles qui la faisaient rire. Elle les appelait « ma deuxième peau » et les traitait en conséquence. Une fois qu'elle avait essayé un chapeau ou une robe, elle les replaçait dans le carton ou sur son cintre en s'assurant qu'ils n'étaient ni aplatis ni froissés, avant de passer aux suivants. Elle en rangeait certaines dans des housses en plastique en s'assurant qu'elles avaient la « place de respirer ». Elle était très méticuleuse avec les vêtements, et, bien qu'il lui arrivât de les prêter à des amies, tout retard l'agaçait et il fallait les lui rendre dans un état impeccable.

Même Carolyn Bartholomew, avec qui elle avait partagé un appartement à Earls Court avant son mariage, probablement sa plus vieille amie, ne fut pas épargnée. Carolyn avait emprunté pour un mariage une robe assortie à un boléro et ne l'avait toujours pas rendue. Diana décida de la vendre aux enchères et appela Carolyn : elle fut furieuse quand elle récupéra la tenue dans un état déplorable.

— Elle l'a manifestement maltraitée. Regardez comme elle paraît fripée, se plaignit-elle.

Diana ne faisait nettoyer ses vêtements que par des teinturiers spécialisés, pas par le premier venu, comme Carolyn. Elle la fit aussitôt porter au nettoyage et la mit en vente (page 166 du catalogue). Elle ne voulait plus en entendre parler de cette robe – ni d'ailleurs de Carolyn, avec qui elle se fâcha un certain temps.

Malgré tout, lorsqu'elle se sépara d'une si grande partie de ses effets, elle en fut très attristée, car chacune de ces robes représentait un moment de sa vie de femme. Elle éprouvait pour eux un réel attachement et je dus la réconforter :

— Voyons, vous aviez deux énormes placards remplis de vêtements que vous étiez certaine de ne plus jamais porter. C'est le moment de faire le ménage et de tourner la page. Et puis, c'est ce que voulait William.

Quand nous eûmes terminé, nous nous occupâmes de l'armoire à pharmacie. Nous montâmes à l'étage, prîmes une tasse de thé et redescendîmes avec des sacs-poubelle que nous remplîmes de boîtes de cachets et de pilules. Nous nous débarrassâmes d'une énorme quantité de médicaments devenus inutiles.

— Vous n'avez pas besoin de cela, disais-je, et de cela non plus. Vous n'avez qu'à prendre un complexe multi-vitaminé, de la vitamine C parce que vous vous dépensez beaucoup, et un peu d'huile d'onagre pour soulager vos douleurs menstruelles.

Le moment était venu de se débarrasser du passé. Toutes ces pilules l'avaient soutenue durant un mariage malheureux. Les robes aussi appartenaient au passé.

Diana était de nouveau célibataire. Enfin, elle pourrait suivre son goût personnel, plus simple et raffiné que lorsqu'elle tentait de se déguiser en altesse royale.

– 9 –

AMOUREUSE DE NOUVEAU

Après que le prince et la princesse de Galles eurent reçu l'acte officiel de leur divorce, Diana témoigna d'une excellente humeur. Rien ne pouvait l'abattre : elle se réjouissait, après toutes ces épreuves, de recouvrer sa liberté. Elle fêta l'événement ce soir-là avec le Dr Hasnat Khan au palais de Kensington. Ce fut leur première nuit d'amour.

Les derniers mois avaient été marqués par des querelles financières et protocolaires, par sa conviction presque paranoïaque que les services de sécurité complotaient contre elle et par sa crainte de perdre la garde de ses fils. Tout cela s'évapora à peine le divorce entériné – et Hasnat lui permit enfin de coucher avec lui.

J'étais à Kensington l'après-midi où le document lui parvint. Elle attendait l'arrivée d'Hasnat et ne tenait pas en place. *Bonne chance à vous*, songeai-je. C'était ce qui lui manquait le plus. Après tout, elle avait trop attendu et elle méritait de vivre pleinement sa relation avec l'homme qu'elle aimait.

Elle connaissait Hasnat depuis dix mois, mais il avait refusé tout rapprochement amoureux tant qu'elle était encore mariée. Diana ne faisait aucun mystère de l'adoration qu'elle lui vouait.

— Il est tellement gentil ! me répétait-elle. Et il a un regard si intelligent ! C'est vraiment un homme merveilleux.

Ce qu'elle éprouvait pour lui n'était pas une tocade. Malgré les peines occasionnées par son premier mariage, elle comptait épouser Hasnat. Elle envisageait même de se convertir à l'islam. Plus que tout, elle voulait un enfant de lui, une fille. Elle était convaincue que le métissage donnerait un enfant splendide.

Et elle était si décidée qu'elle était prête à tomber enceinte tout en restant célibataire.

— Nous ne sommes pas dans un feuilleton, protestai-je, choquée. Vous êtes la mère du futur roi d'Angleterre !

Diana me jeta un regard furieux, mais je ne me laissai pas intimider.

— Vous savez très bien que j'ai raison. Vous ne pourrez pas faire cela impunément.

— Si Jemima a le droit d'épouser un Pakistanais et d'avoir des enfants de lui, moi aussi, riposta-t-elle.

(À la fin de l'année 1996, son amie Jemima, fille du financier sir James Goldsmith et épouse de la légende pakistanaise du cricket, Imran Khan — aucun lien de parenté avec Hasnat —, avait donné naissance à un garçon.)

— Mais Jemima est mariée. C'est peut-être très en vogue d'être une mère célibataire, mais c'est inconcevable quand on a votre statut. Si vous l'épousez, c'est différent.

La vérité est que Diana n'avait pas réfléchi aux répercussions possibles. Hasnat était musulman et nourrissait une conception très stricte du rôle de la femme, mais elle avait balayé ce problème. Dans ses rapports avec Hasnat, elle se laissait guider par ses émotions. Et ce, dès leur première rencontre, à l'automne 1995, quand j'étais hospitalisée à St John's Wood pour une hystérectomie. Cela fascina Diana, qui s'était mise à s'intéresser de près à la médecine. Elle m'envoyait des fleurs, m'appelait sans cesse pour connaître tous les détails de l'opération.

Je n'étais pas sa seule amie hospitalisée. Joe, le mari de l'une des acupunctrices de Diana, Oonagh Toffolo, souffrait de problèmes cardiaques. La même semaine, il subit un triple pontage au Royal Brompton. L'opération fut exécutée par le célèbre chirurgien cardiologue sir Magdi Yacoub.

L'état de Joe était bien plus grave que le mien et elle resta à son chevet, pour lui tenir la main et pratiquer les techniques de soins que je lui avais enseignées. Elle attendit une visite de sir Magdi pour le bombarder de questions. Il se montra très aimable, même si chacune de ses réponses lui valait une autre salve d'interrogations.

Diana était ainsi. Elle voulait apporter tout le réconfort possible à un ami malade et connaître dans ses moindres détails les soins qu'on lui prodiguait. Elle cherchait évidemment quelque chose d'autre, et lorsque Hasnat Khan apparut, elle pensa l'avoir trouvé.

Ce médecin de trente-six ans, originaire de Lahore, au Pakistan, avait assisté sir Magdi durant l'opération. Diana fut éblouie dès les premiers instants. Il était très attentif, dévoué et réconfortant envers ses patients — tout ce que Diana admirait chez un homme.

Elle me raconta plus tard que, lorsqu'il était entré et avait vu Diana dans la chambre, l'espace d'un instant, il avait hésité sur le pas de la porte. Finalement, il décida d'entrer. Il examina Joe et répondit à toutes les questions de Diana d'une manière claire, simple et compréhensible.

Le lendemain, elle retourna à l'hôpital et le croisa dans l'ascenseur. Hasnat garda les yeux baissés. Diana aussi, car elle se sentait rougir, comme chaque fois qu'elle était attirée par un homme.

Les ascenseurs des hôpitaux anglais sont très lents et, après avoir évité son regard pendant une longue minute, elle brisa la glace.

— Vous n'allez pas passer toute la journée à contempler vos chaussures !

Il leva le nez, leurs regards se croisèrent et, comme le racontait Diana, « quelque chose a fait tilt en moi. Il avait un regard si chaleureux et réconfortant... ».

Après cela, Diana passa ses journées à l'hôpital de Brompton. Elle m'appela pour s'excuser et me fit porter des fleurs. Je compris aussitôt ce qui s'était passé car j'avais rêvé qu'un homme brun et séduisant allait entrer dans sa vie. Quand je lui racontai cela, elle éclata de rire, mais refusa d'aborder le sujet au téléphone.

Je ne la vis pas pendant un mois. J'avais eu des complications et, lorsque nous nous revîmes, elle voulut connaître tous les détails. Elle ne cessait de me tâter le ventre et de me demander ce que je sentais, puis elle voulut que je lui montre ma cicatrice. Elle en fut horrifiée :

— Si j'avais su dans quel état vous étiez, je serais allée faire des courses pour vous...

Elle continua de babiller, mais je l'interrompis.

— Attendez un peu... Et vous, alors ? Et cet homme dont vous avez fait la connaissance ?

Elle mourait d'impatience de tout me raconter. Jusque-là, elle n'avait parlé d'Hasnat qu'à Oonagh, qui était présente lors de la rencontre.

— Oh, Simone, s'exclama-t-elle, il est merveilleux ! Il est très timide, mais très cultivé, et il me fait réfléchir.

— À propos de quoi ?

— De l'âme et de Dieu. Il me pose beaucoup de questions sur mes croyances religieuses.

Elle était manifestement sous le charme. Rien à voir avec Hewitt, Hoare et tous les hommes qu'elle avait connus, y compris Charles. Joe Toffolo avait quitté l'hôpital, mais Diana continuait de s'y rendre. Pour elle, les personnes hospitalisées avaient besoin que l'on s'intéresse à ce qui restait de leur existence. Elle y allait pour parler à ces malades que personne d'autre ne venait voir.

Après quoi elle allait rejoindre Hasnat dans la petite chambre où il dormait quand il était de garde. L'hôpital ne souleva jamais aucune objection concernant sa présence. Mais ses visites se firent si fréquentes qu'elles commencèrent à attirer l'attention. Elle décida alors de recourir aux déguisements.

Diana souffrait de ne pouvoir sortir sans être harcelée constamment par des photographes et je lui conseillais depuis longtemps de se grimer. Elle avait balayé la suggestion par peur du scandale inévitable si elle se trahissait. Mais elle désirait tant voir Hasnat que l'idée commençait à la séduire.

– Pourquoi pas ? finit-elle par dire.

La première fois qu'elle s'y essaya fut en août 1996. J'arrivai à Kensington juste après le déjeuner et une inconnue vint m'ouvrir. D'un ton très affecté, elle m'annonça qu'elle était la nouvelle secrétaire de la princesse et me proposa une tasse de thé. Elle me précéda jusqu'au boudoir, où elle fit brusquement une pirouette, arracha sa perruque et s'écria : « C'est moi ! »

Diana portait des lunettes, de grosses chaussures, un chemisier, une jupe sombre au-dessous du genou et une veste assortie. Et pour couronner le tout, une perruque brune très longue. Et elle ne s'était pas arrêtée aux vêtements. Excellente comédienne, elle avait changé sa manière de parler et sa gestuelle pour devenir une tout autre personne : la secrétaire qu'elle prétendait être.

Diana avait testé le déguisement sur William et Harry, et réussi à les berner quelques minutes. Si elle pouvait tromper ses fils, il y avait de grandes chances qu'elle y parvienne avec n'importe qui.

Nous décidâmes de ce qu'elle devait porter, et je lui conseillai de modifier son maquillage et de choisir un rouge à lèvres plus foncé que le rose qu'elle utilisait, ainsi qu'un blush pêche.

Le plus important était la perruque. La première qu'elle choisit était longue, brune et quelconque, mais une fois que Sam McKnight l'eut coupée et coiffée, Diana fut fabuleuse. Elle en acheta une autre, mi-longue, avec une frange donnant l'impression de cheveux naturellement bouclés. La troisième était élégante et châtaine. Grâce à des cheveux bruns et un à maquillage assorti, elle était méconnaissable.

Elle essaya son personnage pour la première fois à Kensington High Street, lors d'une séance de shopping dans des boutiques huppées. Ce fut un succès, et Diana prit dès lors l'habitude de métamorphoser.

Dans le cadre de son doctorat, Hasnat procédait à des expériences sur des agneaux. Lorsque deux des animaux moururent, Diana enfila son déguisement et alla lui acheter une carte qui représentait neuf moutons, avec l'inscription « Lequel préfères-tu ? » À l'intérieur se trouvait la photo d'un mouton portant des couettes et du rouge à lèvres, et le message : « Je ne savais pas que tu étais branché moutons. » Elle lui acheta également un mouton gonflable grandeur nature.

Elle envoya la carte, accompagnée du mouton gonflable. Le sens de l'humour de Hasnat lui fit défaut en cette occasion : il ne trouva pas cela amusant du tout, ce qui fit encore plus rire Diana. Elle avait mûri, car lorsqu'elle était plus jeune, elle se vexait quand on n'appréciait pas ses cadeaux ou que ses plaisanteries tombaient à plat. Désormais, elle trouvait assez de force en elle-même pour surmonter ces petits rejets du quotidien.

Les déguisements l'aidèrent également dans son épanouissement. Ils lui permirent de renouer avec l'indépendance qu'elle n'avait pas connue depuis ses dix-neuf ans et son arrivée à la cour. Ces quatorze dernières années, elle avait été la spectatrice de sa propre vie : elle ne se percevait qu'au travers du prisme déformant de la télévision, des tabloïdes et de la presse, puisqu'elle n'avait pas la possibilité de sortir sans attirer une horde de photographes et déclencher une émeute. Les perruques changèrent la donne. Pour la première fois depuis ses fiançailles, elle pouvait se promener dans un parc, prendre le bus ou le métro, faire du lèche-vitrine... et retrouver celui qu'elle aimait.

De prime abord, Hasnat ne ressemblait pas au genre d'homme de Diana. Ses précédents amants étaient soit très beaux, soit très mondains, généralement les deux. Hasnat n'était ni l'un ni l'autre. Il venait d'un autre continent, d'un milieu et d'une culture fort différents.

Alors que Diana faisait toujours attention à ce qu'elle mangeait, il ne se nourrissait que de junk-food. Il aimait particulièrement le Kentucky Fried Chicken et elle se plaignait que le poulet frit empestait sa voiture. Elle passait son temps à y vaporiser du désodorisant, et elle exigeait de rouler vitres baissées.

Il fumait comme un pompier et son studio de Chelsea était une bauge. À trente-six ans, malgré son diplôme, il gagnait très peu d'argent et vivait comme un étudiant. Des journaux traînaient par terre et il faisait rarement le ménage. Diana déclarait qu'il y avait « tellement de moisissures dans la vaisselle sale qu'on aurait dit des cultures de laboratoire ». Cela la choquait tant qu'elle enfila des gants en caoutchouc et nettoya l'appartement de fond en comble. Hasnat ne sembla rien remarquer et continua de se montrer tout aussi négligent.

Diana s'en moquait : alors que certaines femmes tentent de changer leurs amants et s'irritent de ne pas y réussir, Diana ne commettait pas cette erreur. Elle acceptait Hasnat pour ce qu'il était – et réciproquement.

Elle avait connu une passion dévorante avec James Hewitt et Oliver Hoare. Elle n'en voulait plus. Elle voulait une relation normale avec un homme normal, ni un mufle ni quelqu'un qui cherche à la manipuler comme Hewitt, Hoare et Charles. Hasnat ne la considérait pas comme une potiche et, durant les premiers mois, comme elle était toujours mariée au prince de Galles, ce n'était certainement pas le sexe qui l'intéressait.

– C'est le seul homme qui m'ait jamais traitée comme un être humain, disait-elle.

Lentement mais sûrement, elle s'installait dans une relation amoureuse équilibrée. Elle était captivée par la conversation de Hasnat et adorait sa simplicité.

Après qu'elle l'eut invité à Kensington plusieurs fois à dîner, il l'emmena dans le fish & chips de son quartier.

– Vous n'imaginez pas comme c'était bon, me raconta Diana.

Oh, que si ! Que Diana trouve cela si exotique prouve à quel point sa vie était éloignée des réalités.

Il l'emmena aussi dans un restaurant italien bon marché et sans chichis à côté de l'hôpital. Aucun des clients ne sembla la reconnaître avec sa perruque et la cuisine était, estima-t-elle, « aussi bonne que chez San Lorenzo's – et bien moins chère ». Un plat de pâtes et un verre de vin avec un ami, cela n'a rien d'extraordinaire, mais elle connaissait enfin les menus plaisirs qu'on lui avait refusés dans sa jeunesse : aller au restaurant ou dans des clubs de jazz à Soho. Et elle appréciait que Hasnat insiste pour régler l'addition en dépit de ses modestes moyens.

Après ces repas sans prétention, ils rentraient au palais. Khan s'allongeait sur la banquette arrière, dissimulé sous la couverture que Diana gardait dans le coffre à cette intention. Il devint un visiteur régulier de Kensington, y passant parfois la nuit dans une chambre d'amis et quittant les lieux à l'aube, avant l'arrivée de Paul Burrell.

Les soirs où il était de garde, elle l'accompagnait à l'hôpital et couchait dans sa petite chambre. Elle emportait toujours un livre pour s'occuper pendant la tournée de visites. Si aucune urgence n'exigeait la présence de Hasnat, ils se blottissaient tous les deux sur le lit, s'embrassaient et bavardaient.

Au petit matin, elle filait discrètement par la fenêtre. Un matin, elle resta coincée. À 7 h 30, quand elle regagna le palais, elle m'appela pour me confier que sa perruque s'était accrochée à la fenêtre. Elle trouvait l'incident très drôle et fut prise de fou rire en me le racontant. Hasnat s'amusait tout autant qu'elle en de pareils moments et cela les rapprochait plus encore.

Elle apprécia qu'il l'implique dans sa vie familiale. Quand il venait à Kensington, elle le laissait appeler ses parents au Pakistan. La première fois, il lui dit qu'il devait sortir acheter une carte téléphonique.

— Restez, appelez d'ici, lui dit-elle.

Ses coups de fil duraient longtemps : quand Diana s'impatientait, elle essayait de le distraire en jouant du piano ou en faisant semblant de commencer un strip-tease, mais il n'y prêtait aucune attention. En plusieurs occasions, elle m'appela de son mobile et bavarda avec moi pendant que son amant parlait en ourdou à ses côtés.

Diana trouvait cela attendrissant. Depuis le décès de son père, elle avait l'impression de ne plus avoir la moindre famille. Ses relations avec son frère étaient orageuses, tandis que ses aigres disputes avec Charles avaient creusé un fossé entre elle et ses sœurs Sarah et Jane. Le mari de celle-ci, Robert, étant le secrétaire privé de la reine, avait reçu la mission impossible de soumettre Diana à l'étiquette royale. Quant à sa mère, Diana se sentait incapable de lui pardonner.

Certaines personnes grandissent, quittent le foyer familial et ne regardent jamais en arrière. Diana n'était pas de celles-là. Sa propre famille avait été incapable de lui apporter la sécurité dont elle avait besoin. Auprès de Hasnat, elle avait l'impression d'être incluse dans une famille. Il l'emmena chez son oncle Omar, qui habitait Stratford-sur-Avon avec son épouse anglaise, Jane, et les deux couples se lièrent d'amitié.

Chaque fois qu'elle y allait déjeuner, elle insistait pour laver la vaisselle et nettoyer la cuisine. Quand Jane fut enceinte de ses jumeaux, Diana acheta des vêtements — toujours de la meilleure qualité, en provenance de

Harrod's. Elle leur offrit une poussette double, mais l'un des jumeaux était mort-né : Diana retourna échanger la poussette sur-le-champ.

Ce qui l'intriguait, c'est que Jane, avocate, ait réussi à franchir les barrières ethniques pour épouser un Pakistanais. Jemima Khan en avait fait autant : à vingt ans, défiant les conventions de son milieu, elle avait épousé un sportif pakistanais de vingt-deux ans son aîné. Diana interrogeait constamment Jemima sur la difficulté à partager la vie d'un homme d'une autre religion et d'une autre culture. En février 1996, accompagnée de la mère de Jemima, lady Annabel Goldsmith, la princesse partit pour Lahore en jet privé afin de visiter l'hôpital pour cancéreux créé par Imran, bavarda avec ses sœurs et s'immergea dans l'atmosphère d'une famille si opposée à la sienne.

Elle aurait aimé rencontrer la famille de Hasnat, mais l'oncle de ce dernier, le professeur Jawad Khan, éminent chirurgien cardiologue qui avait soigné le comte Spencer après son attaque en 1978, le lui déconseilla. En effet, les Khan ignoraient encore tout des relations entre Hasnat et la princesse, et Jawad remarqua que la presse commenterait inévitablement une « réunion au sommet ».

Diana décida alors d'entamer une correspondance avec la grand-mère d'Hasnat, Appa. En 1995, elle lui envoya pour Noël une photo d'elle et de ses fils qui plongea la vieille dame dans la stupéfaction. Pourquoi la célèbre princesse, qui jusque-là n'avait été qu'un nom dans les journaux, se donnait-elle la peine de lui transmettre ses vœux ? La raison se fit jour dans les très

162

longues lettres que Diana commença à lui écrire et dans lesquelles elle lui faisait part de son admiration pour son petit-fils. Elle préparait ainsi le terrain.

— Je meurs d'impatience de connaître la famille qui a engendré un homme aussi merveilleux, me répétait-elle souvent.

Elle essayait manifestement d'officialiser leur couple, mais, à aucun moment, elle ne tomba dans la manipulation.

Cependant, ses premières tentatives pour rapprocher Orient et Occident restèrent infructueuses. La seule faveur que lui demanda Hasnat fut d'aider deux de ses amis, hommes d'affaires de Jhelum que Diana s'empressa d'inviter au palais pour rencontrer sir Richard Branson, le fondateur de Virgin.

Diana s'était imaginé que ces messieurs étaient de la trempe de Hasnat. Mais les deux humbles provinciaux n'avaient jamais quitté le Pakistan. Lorsque Diana entra en minijupe, ils furent incapables de détacher leur regard de ses jambes. Elle tenta de se couvrir de ses mains, extrêmement gênée.

Elle n'arrangea pas la situation en leur proposant des sandwiches au bacon ! L'affaire tourna au ridicule. Les deux hommes (elle les appela Tweedledee et Tweedledum, d'après les personnages d'*Alice au pays des merveilles*) n'avaient pas la moindre idée de ce qu'ils voulaient faire. Sir Richard tenta de les aiguiller et finit par comprendre qu'ils souhaitaient que quelqu'un finance une boutique au Pakistan. Comme Diana était impliquée, Branson se montra très courtois, mais il n'avait aucune envie de leur donner de l'argent.

— Vous devriez d'abord vous familiariser avec le commerce, expliqua-t-il.

J'aurais été furieuse d'avoir été mise dans cette situation, mais Diana s'en amusa. En tout cas, elle n'en voulut pas à Hasnat. Elle était bien décidée à se fondre dans sa vie et, quand elle rencontra enfin sa grand-mère, elle eut l'impression d'avoir franchi une étape décisive vers le mariage.

En juillet 1996, grand-mère Appa séjournait en Angleterre chez Omar et Jane. Diana se rendit donc à Stratford pour la rencontrer. À l'époque, le divorce était encore en discussion et Diana avait annoncé qu'elle démissionnait de la plupart de ses œuvres humanitaires. Appa prépara un dîner très simple : riz et légumes au curry. Quelques jours plus tard, Diana l'invita à Kensington. Elle avait compris la leçon et ne servit pas des sandwiches au bacon, mais au saumon fumé. Ce fut hélas un choix tout aussi malheureux. La vieille dame, n'ayant jamais quitté le Pakistan, fut horrifiée à la vue de ce qu'elle qualifia de « poisson cru ». Elle se contenta de grignoter avec méfiance les sandwiches à l'œuf et au fromage.

Malgré cet échec gastronomique, les deux femmes s'entendirent à merveille. Appa surnommait Diana « ma petite tigresse » et semblait approuver la relation entre la princesse et son petit-fils préféré.

Peu après, Diana présenta Hasnat à William et Harry. Maintenant qu'elle connaissait sa famille, il était normal qu'il connaisse la sienne.

La rencontre eut lieu durant un week-end où les garçons rentraient de pension. C'était la première fois qu'elle mêlait ses enfants à sa vie amoureuse et elle était très nerveuse. Tout comme Hasnat.

Ensuite, elle demanda leur avis aux garçons.

— Il a l'air charmant : si vous êtes heureuse avec lui, continuez, dit William.

Harry, lui, ne fut pas aussi enthousiaste.

Tout à sa romance, Diana s'était convaincue qu'elle avait trouvé l'homme de sa vie. Elle respectait immensément son travail, sa loyauté et son dévouement. Elle rayonnait intérieurement : quand elle revenait d'un rendez-vous, une petite étincelle brillait dans son regard.

Cependant, Hasnat chérissait trop son indépendance pour se plier aux quatre volontés de Diana. Elle lui demanda d'habiter au palais et lui proposa la chambre qu'occupait naguère Charles, mais il refusa.

Il ne voulut pas plus qu'elle lui offre un téléphone portable, alors qu'elle ne pouvait le contacter que par l'intermédiaire de son bipeur. Cela agaçait Diana, qui était accro aux mobiles et aimait parler aux gens quand elle en avait envie, c'est-à-dire fréquemment dans le cas de Hasnat. En désespoir de cause, elle appelait l'hôpital et laissait des messages auprès de la standardiste.

— Bonjour, je suis le Dr Allegra. Je dois absolument joindre le Dr Khan. J'arrive tout juste des États-Unis et je ne suis là que quelques jours pour un séminaire. Je dois le voir avant de repartir.

Au début, il ferma les yeux, mais au bout d'un moment il se lassa de son insistance. Mais ce qui l'agaçait le plus, c'était la médiatisation de leur liaison. Étonnant qu'elle soit passée inaperçue si longtemps, mais cela ne pouvait durer indéfiniment : l'affaire éclata au grand jour en novembre 1996.

Ce fut le désir de Diana de donner un coup de pouce à la carrière de son amant qui provoqua la révélation. Le mois précédent, alors qu'elle se trouvait à Rimini pour recevoir une distinction humanitaire, elle avait rencontré le Dr Christian Barnard, chirurgien qui avait effectué la première greffe du cœur, et elle lui demanda de trouver un poste à Khan en Afrique du Sud – pour qu'ils puissent s'y installer ensemble.

Peu de temps après, à Sydney, elle assista à un dîner de gala à la mémoire de Victor Chang, professeur de Khan lorsqu'il avait étudié en Australie. Chang avait été kidnappé et tué par ses ravisseurs en 1991.

C'est lors de son voyage en Australie que le *Sunday Mirror* fit le rapprochement et révéla l'amour de Diana pour le « timide et charmant cardiologue », ajoutant : « Et elle veut l'épouser. »

Hasnat fut fâché que Diana se soit mêlée de sa vie professionnelle et que son nom s'étale dans les journaux. Mais ce fut surtout la réaction de la princesse qui l'irrita. Car elle nia les faits. Elle contacta Richard Kay, chroniqueur royal au *Daily Mail* avec qui elle était très liée, et lui déclara que l'article ne rapportait que des « foutaises ».

— C'est épouvantable ! commentai-je. Hasnat est très sensible à vos sentiments pour lui, vous ne pouvez pas dire le contraire à Richard, qui va répercuter l'info aux journaux.

Hasnat était manifestement de cet avis, car il refusa de lui parler pendant plusieurs semaines. Il rédigeait son doctorat, il avait besoin de se concentrer sans se préoccuper des médias.

Son silence plongea Diana dans la détresse. Quand j'allai la voir, je la trouvai effondrée. Elle avait les yeux gonflés de larmes, le visage ruisselant de mascara.

Nous préparâmes des plats au micro-ondes et allâmes bavarder dans son petit boudoir. Elle envisageait sérieusement de se convertir à l'islam pour être mieux acceptée par la famille de Hasnat. Elle était prête à renoncer à tout pour lui, mais se plaignit qu'il n'était pas disposé à en faire autant et qu'il désirait seulement une existence « normale ». Puis elle se mit à accuser les médias de ses problèmes. Je lui fis remarquer que la presse ne se serait pas intéressée à elle si elle n'était pas Diana, mais elle n'écoutait déjà plus. Elle pleurait et se désolait de son impuissance. Je ne cessais de lui dire de ne pas s'inquiéter, mais elle répondait que je ne comprenais pas. Bien sûr que si je comprenais : presque toutes les femmes ont connu ce genre de situation.

— Il a besoin de faire une pause. Évidemment qu'il vous rappelera, mais vous devez le laisser tranquille un certain temps.

Pour elle, ce n'était pas facile. Sa détresse l'oppressait et, pour tenter de s'en libérer, elle reprit le jogging, s'épuisant dans de longues courses aux alentours du palais de Kensington, son portable à portée de main. Elle me téléphonait constamment, mais cela ne me gênait pas : Hasnat étant extrêmement réservé et détestant qu'on le traque, il valait mieux que ce soit moi qu'elle harcèle plutôt que lui.

Car Diana devint de plus en plus obsessionnelle. Elle commença à suivre Hasnat comme elle avait épié Hewitt et Hoare, et fut extrêmement soulagée de constater qu'il se consacrait uniquement à son travail.

Le jour où il la rappela enfin, elle lui présenta ses excuses et ils se réconcilièrent. Cependant, leur dispute avait laissé une cicatrice indélébile dans leur relation. Hasnat redoutait que leur relation n'attire l'attention des médias, tandis que Diana était de plus en plus nerveuse à l'idée que leur liaison ne se conclue pas par le mariage qu'elle appelait de ses vœux.

Elle demanda à Imran Khan de jouer les intermédiaires. Elle fit également appel à Martin Bashir, sous prétexte qu'étant lui aussi étranger d'origine, il était à même de comprendre les réserves de Khan tout en sachant se faire l'avocat de Diana et aplanir les différends. Ce ne fut pas très concluant.

– Qu'est-ce qui intéresse Hasnat ? lui demandait-elle constamment. Comment puis-je comprendre un homme aussi indépendant et assez machiste ?

Les réponses de Martin Bashir ne l'éclairant guère, Burrell prit le relais. Il retrouvait Hasnat dans un pub fort justement nommé *À la Princesse de Galles*, en face du Brompton Hospital, pour lui transmettre ses messages et rapporter ses réponses au palais, mais cela ne sembla que compliquer une situation déjà difficile. Les sollicitations incessantes de Diana horripilaient son amant.

Cela amena Diana à chercher conseil auprès d'Imran et Jemima, mais leur couple n'était pas vraiment le meilleur exemple. Imran avait annoncé à sa jeune épouse qu'au Pakistan elle devait se conformer aux usages de la famille et mener une vie dépourvue de luxe. Elle habitait avec les siens et portait ses enfants, et ne pouvait sortir sans chaperon, ce qui était très difficile pour une jeune femme habituée aux libertés occidentales. Diana décréta que le mariage ne durerait pas. Elle avait vu juste : le couple se sépara en 2004 et Jemima se consola dans les bras de l'acteur Hugh Grant.

Pourtant, Diana ne renonça pas. Elle s'était convaincue que ce serait différent avec Hasnat, qu'ils pourraient combler le fossé culturel et que leur union serait harmonieuse. Elle refusait d'affronter la réalité et je tentai de la raisonner.

— Vous imaginez-vous enfermée dans une maison avec toute la famille d'Hasnat : ils vont vous transformer en machine à enfanter !

Elle se rangea à mon avis, mais elle continua de s'accrocher à son conte de fées. Elle était si décidée à l'épouser que, en mai 1997, elle s'envola pour le Pakistan afin de recueillir l'approbation des parents de Hasnat.

L'entrevue se déroula dans la maison familiale des Khan à Jhelum. Diana arborait avec modestie le costume local. Elle passa l'après-midi à boire du thé et à manger des gâteaux avec la mère de Hasnat, Naheed, son père, Rasheed, et une ribambelle d'oncles, tantes, nièces, neveux et cousins. Ce fut très courtois, mais infructueux. Naheed, en mère possessive, considéra la liaison de son fils avec cette Occidentale, fût-elle princesse, comme inconcevable. Selon les critères pakistanais, Diana était une marchandise périmée.

Hasnat explosa quand il eut vent de cette visite. Il n'avait jamais parlé de mariage à ses parents et jugea que Diana avait dépassé les bornes une fois de plus en allant les voir dans son dos. Car il restait fidèle à ses racines : cet humble médecin pakistanais se réjouissait de vivre à Londres, mais ne voyait aucune raison d'adopter les idées occidentales de Diana sur l'amour et le mariage. Les 17 millions de livres qu'elle avait reçus à l'issue de son divorce leur auraient permis de vivre dans le luxe jusqu'à leur dernier jour, mais Hasnat n'avait aucune envie de se faire entretenir : il n'acceptait même pas qu'elle lui fasse des cadeaux. Il était flatté de toutes les attentions qu'elle lui prodiguait, mais il n'aimait pas le tapage médiatique que suscitait Diana ni sa manière de régenter sa vie.

Pour ne rien arranger, c'était un « phobique de l'engagement ». Il avait déjà été fiancé trois fois — deux à des femmes présentées par ses parents, une fois à une jeune fille de son choix — mais il avait toujours rompu, ce que Diana trouvait étrange pour quelqu'un de son milieu et de son âge. Hasnat, le cardiologue, s'intéressait au cœur de ses patients, mais ni au sien ni à celui de Diana.

Il aurait d'ailleurs préféré ne pas entamer cette relation. Mais Diana lui avait forcé la main. Je ne doute pas qu'il l'aimait, à sa façon. Et lorsque leur liaison s'emballa, il préféra tout arrêter.

En juillet 1997, il rompit avec Diana. Elle resta néanmoins en contact avec sa famille et, jusqu'à sa mort tragique, quelques semaines plus tard, elle nourrissait encore l'espoir de renouer avec celui qu'elle aimait tant.

– 10 –

RELIGION

Comme une enfant, Diana posait constamment des questions sur le sens de l'existence et la spiritualité.

— Ce n'est tout de même pas que cela, la vie ! me répétait-elle souvent. Quelle est notre mission ici-bas, et qu'est-ce qui nous attend plus tard ?

Diana n'était pas de celles qui se réfugient dans les platitudes. Elle croyait en Dieu, et pour elle, le bien et le mal n'étaient pas que des mots mais des forces puissantes qui régissaient nos actes.

Elle avait soif de connaissances, et, lorsqu'elle découvrit que l'Église anglicane, dans laquelle elle avait été élevée, ne répondait pas à ses interrogations, elle décida de s'intéresser à d'autres religions. Elle voyait large. Son champ d'investigation alla de l'islam au catholicisme en passant par l'hindouisme et les enseignements ésotériques du soufisme et de la Kabbale. Elle témoigna même de l'intérêt pour les anciens cultes polythéistes dont la divinité était une femme et où, observa-t-elle, « la vulve était révérée au lieu d'être diabolisée ».

Il ne passait guère une journée sans que nous discutions de ses lectures et je fus étonnée par l'ampleur de son savoir. Elle ne se contentait pas d'effleurer un sujet, comme nombre de nos contemporains dans leur quête spirituelle : elle se donnait le temps et la peine nécessaires.

Le prince Charles, dont la culture étendue embrassait l'islam jusqu'aux rites grecs orthodoxes des moines du mont Athos, eut clairement une influence sur elle, mais elle n'était pas disposée à le suivre aveuglément. Elle voulait lire les sources et se forger son opinion, ce qui ne lui avait jamais été permis dans sa jeunesse.

— Dans mon enfance, lorsque les conversations prenaient un tour sérieux, on m'intimait l'ordre de me taire. Sous prétexte que mon frère était plus intelligent et que j'étais l'idiote de la famille.

C'est affreux de dire cela à un enfant, surtout lorsque c'est faux. Diana était certes moins cultivée que Charles, qui avait toujours réussi ses examens et obtenu un diplôme d'histoire à Oxford, mais elle réfléchissait beaucoup et montrait une curiosité boulimique. Elle faisait également preuve d'un esprit très perspicace et jugeait que la dépendance de son mari à l'égard des prétendus « gourous » dont il s'entourait frisait la pathologie.

— Ses idées sont celles de la dernière personne qui lui a parlé, plaisantait-elle souvent.

Diana méprisait les mondains qui se contentent de discuter de ce qui est bien ou pas. Elle réservait son admiration aux personnes qui agissaient vraiment.

C'est pourquoi Mère Teresa fut pour elle un modèle, du moins au début.

Elle avait entendu parler d'elle par Oonagh Toffolo, son acupunctrice, fervente catholique qui avait travaillé avec Mère Teresa un demi-siècle plus tôt. Et lors de sa visite en Inde, en 1992, avec Charles, Diana constata l'œuvre accomplie par cette religieuse toute menue auprès des malades et des déshérités de Calcutta. À cette époque, le mariage du couple princier battait de l'aile. Lasse de cette mascarade, quand son époux partit pour le Népal, elle alla de son côté visiter les missionnaires de la Charité dans les taudis de Kaligat, au sud de la ville.

À son entrée dans le foyer, les religieuses chantèrent d'une belle voix claire et mélodieuse, qui contrastait avec la cacophonie régnant dans les rues et la détresse omniprésente. Diana ne reculait jamais devant la misère, mais cette fois, elle eut les larmes aux yeux et dut se mordre les lèvres alors qu'elle contemplait les rangées de matelas bleus dépenaillés où gisaient des malades dans la pénombre. Ils étaient si nombreux que certains en étaient réduits à dormir dans la cuisine, à même les dalles. Tous étaient mourants, victimes de la tuberculose, de la malnutrition ou de l'une des innombrables maladies qui prolifèrent dans ce cloaque qu'est Calcutta. Le spectacle lui évoqua une scène de *L'Enfer* de Dante.

— Mais au moins, ils ne mouraient pas abandonnés et sans amour, me raconta-t-elle.

Elle distribua aux moribonds des friandises qu'elle avait apportées. Quand elle repartit, sa robe était souillée de boue.

Après quoi elle se rendit au foyer où se trouvaient les orphelins recueillis par Mère Teresa. Diana caressa des joues, et prit dans ses bras un petit garçon sourd et muet qu'elle promena dans l'orphelinat.

— Je l'ai serré très fort dans mes bras en espérant qu'il sentirait la chaleur de mon amour, écrivit-elle plus tard.

Dès son retour, elle me confia que cette expérience lui avait fait prendre conscience de sa condition de mortelle et de notre insignifiance dans l'immensité du cosmos. Cela changea sa vision de la vie et de la mort.

Diana n'avait pas pu rencontrer Mère Teresa, la religieuse étant hospitalisée à Rome pour des problèmes cardiaques. À peine Diana fut-elle rentrée à Londres qu'elle prit l'avion pour l'Italie et se présenta à celle qu'elle décrivait comme une « femme exceptionnelle qui accomplit l'œuvre de Dieu sur terre ». La princesse s'était fixé un objectif bien précis : suite à sa visite à la mission, elle avait décidé de séjourner six mois en Inde pour aider les déshérités.

Mère Teresa refusa sa proposition. Bien que fluette, elle avait un ego démesuré et elle ne voulait pas que la femme la plus célèbre du monde s'installe à Calcutta. Elle répondit à Diana qu'elle n'était pas disposée à l'embaucher avant qu'elle ait soixante ans et conclut :

— Je ne pourrais pas faire ce que vous faites. Et vice-versa.

Diana fut très vexée par cette réponse. C'était une insulte et elle la prit comme telle. Car la princesse n'avait pas offert ses services pour entrer dans la légende ou se faire de la publicité. Elle avait été inspirée par les paroles de Jésus dans l'Évangile selon saint Matthieu : « J'ai eu soif et vous m'avez donné à boire ; j'étais un étranger et vous m'avez recueilli ; nu, et vous m'avez vêtu ; malade, et vous m'avez visité. » Avec le nombre de personnes errant dans les rues d'une ville où les pauvres et les malades sont condamnés à mourir par milliers chaque jour, la mission manquait cruellement de main-d'œuvre et Diana aurait été d'une aide précieuse.

Elle ne cessa jamais d'admirer la religieuse née en Albanie qui reçut, en 1979, le prix Nobel de la Paix en récompense de son travail auprès des pauvres, mais la brutalité avec laquelle cette dernière avait rejeté son offre sincère la fit douter. Elles se revirent plusieurs fois, et, l'année où elles moururent toutes les deux — Mère Teresa à quatre-vingt-sept ans, Diana à trente-six —, elles se promenèrent main dans la main dans le Bronx. Cependant, Diana n'avait plus la même foi sans réserves envers la religieuse béatifiée en 2003 par Jean-Paul II.

Au cours des années, celle-ci avait recueilli des millions de dollars de dons. Comment se faisait-il, se demandait Diana, que les gens auxquels ils étaient destinés, soient réduits à vivre leurs derniers instants dans des guenilles, sur des matelas pourris et à même le sol des missions de la Charité ? On disait que Mère Teresa avait refusé de publier les comptes de son ordre, ce qui amena Diana à s'interroger :

— Mais que fait-elle de tout cet argent ? Elle dort dessus ? J'aurais pu recueillir davantage de fonds encore, mais à quoi bon, si Mère Teresa ne s'en sert pas ?

Et comme elle le disait, pourquoi donner davantage d'argent pour l'Église catholique, qui était déjà la plus riche institution du monde ?

Elle n'aurait jamais osé formuler de telles observations quand elle était plus jeune (ses opinons étaient irrémédiablement jugées naïves ou de totalement stupides), mais une décennie passée sous le feu des projecteurs l'avait changée. Elle n'était plus la petite fille qu'avait épousée Charles. Certes, elle avait souffert de sa position, mais elle avait acquis de l'assurance et de la ténacité. Elle dormait très peu, ce qui lui laissait beaucoup de temps pour étudier, et elle m'appelait fréquemment le matin pour parler de ses lectures de la veille. Quand son emploi du temps bien rempli le lui permettait, elle poursuivait ses lectures dans la journée et, si je téléphonais pendant qu'elle était plongée dans un article ou un livre qui la passionnaient particulièrement, elle me demandait de rappeler dans une demi-heure, le temps pour elle de terminer son chapitre.

Mère Teresa avait déçu Diana. Tout comme l'Église anglicane. À mesure que son mariage périclitait, elle chercha le réconfort dans la religion, et cela la guida vers l'Église catholique. Cet intérêt lui fut soufflé par Oonagh Toffolo, qui était très pieuse, et, bien sûr, par sa première rencontre avec Mère Teresa. Diana aimait la structure et les certitudes du catholicisme. Et elle fut séduite par la notion de confession, qu'elle assimilait à une thérapie.

Elle envisagea sérieusement de se convertir au catholicisme tout comme l'avait fait sa mère. Cela aurait été gênant que la mère du futur chef de l'Église d'Angleterre, fondée par Henri VIII cinq siècles plus tôt, « vire à Rome » comme elle disait. C'est une des raisons pour lesquelles elle renonça. Nous en discutâmes longuement et elle avoua que l'interprétation catholique de la Bible lui paraissait trop étroite.

Elle resta dans les meilleurs termes avec le cardinal Basil Hume, primat de l'Église catholique en Grande-Bretagne qui avait ouvert la cathédrale de Westminster pour héberger les sans-abri du quartier. Diana admirait ce geste de sincère charité, mais elle était gênée par les étalages de richesse du catholicisme. Elle décida donc que l'Église de Rome n'était pas pour elle. En outre, une notion la laissait perplexe : la dualité de l'esprit et de la matière, selon laquelle l'âme est la création de Dieu, tandis que le corps appartient à Satan.

Diana resta persuadée que Jésus était bien plus humain que ne l'enseigne le catéchisme. Bien avant le roman de Dan Brown, *Da Vinci Code*, Diana se demandait si Jésus n'avait pas épousé Marie-Madeleine. Si l'Église avait officialisé cette thèse, elle aurait certainement accordé un rôle plus important aux femmes, ce qui séduisait Diana : elle savait d'expérience combien il est pénible de devoir accepter une position secondaire, d'abord dans sa propre famille, puis dans son mariage.

C'est pourquoi elle s'intéressa à la Wicca. Ce terme est synonyme de sorcellerie depuis le Moyen Âge, et les herboristes et guérisseurs finissaient souvent sur le bûcher. Pourtant, il n'y a rien de magique dans cette religion qui révère la Nature et prêche l'égalité entre le masculin et le féminin, très proche en cela du concept chinois de yin et de yang. Elle tire son inspiration de Gaïa, théorie selon laquelle la Terre est un organisme vivant. Elle repose sur les cultes celtes de l'époque préchrétienne, dont les rites, les remèdes naturels et le savoir ont été codifiés par Gerald Gardner dans son ouvrage *La Sorcellerie aujourd'hui*, publié en 1954, trois ans après la dépénalisation de la sorcellerie en Grande-Bretagne.

Il n'y a aucune règle contraignante dans la Wicca. « Fais selon ta volonté, sois toute la loi » et son parallèle, « L'amour est la loi, l'amour selon la volonté », ou, « Ne fais de mal à personne » et « Tout homme et toute femme sont des étoiles » représentent des principes fondateurs. L'intérêt de Diana pour le néo-paganisme fut probablement suscité par Charles, qui cherchait dans le passé une solution pour affronter le présent, mais sa propre curiosité prit le relais. Elle était fascinée par la place accordée à la « Déesse », origine de toute créature vivante, et qui explique pourquoi les anciens adoraient les parties génitales féminines. Cela lui plut énormément.

Elle se passionna ensuite pour l'hindouisme, ses innombrables dieux et son vaste panthéon de déesses, chacun présidant à un aspect spécifique de notre existence. Elle se plongea dans le Veda, le recueil sacré de l'hindouisme, et dévora ses prophéties, qui remontent à plusieurs milliers d'années, et mentionnent des aéronefs et des machines. Elle fut également impressionnée par l'idée qu'aucune souffrance ou bonheur n'est immérité. Mais au final, les paradoxes de la religion indienne lui parurent trop déroutants.

L'islam lui ouvrit d'autres horizons. En 1990, elle eut un long entretien avec le professeur Akbar Ahmed, de Cambridge. Il lui avait expliqué que l'islam n'était pas une religion misogyne, synonyme d'intolérance et de harems, mais qu'il reposait sur la sagesse bien plus humaine du prophète Mahomet, qui prêchait l'amour et le respect des femmes. Lorsque Diana fit une visite officielle au Pakistan en 1991, le professeur Ahmed lui conseilla de citer sir Allama Mohammad Iqbal, le poète national pakistanais, et choisit pour elle le vers suivant : « Ils sont nombreux, ceux qui arpentent les jungles dans leur quête, mais je serai le serviteur de celui qui possède l'amour de l'humanité. »

En fait, ce fut l'amour de Diana pour James Hewitt qui la poussa à étudier les enseignements de Mahomet. En 1990, lorsque Saddam Hussein envahit le Koweït, Hewitt fut envoyé au combat. Angoissée, Diana suivait avec angoisse les affrontements dans les journaux et à la télévision. Elle voulait tout savoir sur l'Irak, et se renseigna sur la religion que le despote invoquait. Elle se procura un exemplaire du Coran, qu'elle lisait avant de se coucher. En 1994, elle fut photographiée en train de lire l'ouvrage du professeur Ahmed, *À la découverte de l'islam*, durant un séjour aux sports d'hiver à Lech, en Autriche. Elle en resta là, jusqu'à sa rencontre avec Oliver Hoare.

Ce négociant d'art islamique la familiarisa avec le soufisme. Cette branche mystique de l'islam est caractérisée par l'union entre êtres humains et Dieu, ce qui s'accordait à sa manière de penser. Son message de « paix pour tous » exerça une profonde influence sur Diana. Et lorsqu'elle tomba amoureuse de Hasnat Khan, son intérêt ne fit que croître.

Par le biais de ses amis, Diana s'intéressa au catholicisme et, par celui de ses amants, elle se mit à étudier l'islam, mais elle restait à l'affût d'une religion qui puisse apaiser ses angoisses métaphysiques. Quand elle me demanda mon avis, je lui conseillai la Kabbale.

Ce mysticisme juif fut créé au XIIe siècle, bien qu'une partie de son symbolisme remonte à l'époque de Moïse. Il dérive de la Torah et implique un examen complexe de l'univers comme un tout, avec le besoin d'équilibrer les forces positives et négatives, afin de comprendre les différents plans et dimensions de l'existence. La duchesse d'York, Sarah Ferguson, s'intéressa également à la Kabbale par l'intermédiaire de son amie Demi Moore, fervente disciple, et consultait fréquemment le rabbin Michael Berg.

J'ai entendu dire qu'il peut être dangereux d'étudier la Kabbale en raison des puissances qu'elle invoque et qui, mises en pratique, ont été assimilées à de la véritable magie. Un authentique kabbaliste peut vous dévoiler votre passé, votre présent et votre avenir, et se révéler un puissant guérisseur.

Par ailleurs, la plupart des rabbins n'acceptent d'enseigner cette doctrine qu'à des hommes. Mais bien que la Kabbale soit très compliquée, elle propose réellement une explication de Dieu, des anges et des âmes dans le royaume de Dieu, ce qui séduisait Diana.

La discipline requise lui posa cependant quelques problèmes.

Malgré tout, avec mon encouragement, elle s'imprégna des principes fondamentaux, notamment ceux qui soulignent que nos actes influencent notre avenir et notre existence dans l'au-delà. Toute sa vie, elle s'interrogea sur la destinée humaine, et je pense que ses études lui fournirent quelques éléments de réponse.

Il est évident que cet intérêt pour les grandes religions du monde rassura Diana : je crois qu'il lui donna davantage de réconfort qu'aucun des remèdes miracles auxquelles elle recourut. Les médiums et voyantes lui disaient ce qu'ils pensaient qu'elle voulait entendre, et ils se trompaient souvent. Grâce à la religion, elle put connaître la paix intérieure qui lui manquait tant.

La méditation l'aida beaucoup. Elle avait l'habitude de prier intérieurement et de parler à Dieu, les yeux fermés, ce qu'elle fit en Angola et en Bosnie. Elle mit longtemps à maîtriser la technique et me téléphonait constamment :

— Pourquoi je n'y arrive pas ? Pourquoi je ne peux pas me concentrer ?

Je venais donc au palais de Kensington, m'asseyais à ses côtés et reprenais patiemment mes explications :

— Asseyez-vous sur ce siège confortable, les pieds sur le sol. À présent, fermez les yeux et imaginez un soleil resplendissant juste au-dessus de votre tête. Visualisez ses rayons comme de la lumière liquide qui coule à l'intérieur de votre crâne, descend dans votre gorge et votre ventre. Ensuite, imaginez-la descendant jusque dans vos jambes. Respirez lentement et profondément.

En inspirant, prenez en vous la lumière, en expirant, rejetez la grisaille et la morosité.

« Enfin, imaginez-vous dans un grand œuf de plastique transparent. Imaginez que cet œuf est aussi souple que du caoutchouc, impossible à briser, et qu'il vous abrite. Cet œuf est votre protection spirituelle. Si quelqu'un nourrit envers vous une pensée négative, elle se retournera contre lui.

J'utilise cette technique deux fois par jour depuis vingt ans et je la trouve extrêmement efficace pour gérer la pression de la vie quotidienne. Elle me permet d'affronter l'avenir avec une volonté renouvelée — et c'est ce qui comptait pour Diana.

Ses études l'avaient amenée à croire à la réincarnation. Nous en parlions fréquemment, très simplement, car le sujet nous intriguait toutes les deux. Elle disait en riant qu'elle reviendrait me hanter après sa mort. Je lui répondis que c'était réciproque.

— Oui, et j'imagine que vous me gronderez si je fais des bêtises, répondit-elle.

— Vous pouvez y compter !

Diana était convaincue de ne pas en être à sa première vie, car elle avait l'impression d'avoir connu certaines personnes dans une existence passée.

Un jour que nous en discutions, j'eus l'idée soudaine qu'elle avait dû être une princesse telle Cléopâtre. Diana ne fut pas emballée et se contenta de répondre : « Ah bon ? ». Un an et demi plus tard, elle me lança pourtant :

— Vous vous rappelez quand vous m'avez dit que j'avais peut-être été une princesse dans l'Antiquité égyptienne ? Eh bien, je crois que vous deviez avoir raison : elles se sont toutes fait plaquer, non ?

Elle commença à avoir des prémonitions sur sa mort imminente dans un accident de voiture. En novembre 1996, nous étions en train de papoter quand moi-même je fus saisie par la vision d'un accident mortel, sans détails précis, mais suffisamment clair pour m'effrayer. Si bien que je me résolus à lui en parler.

Elle se mit en colère. Comment lui en vouloir ? Elle débordait de vie, et avait tant à donner que l'idée d'une telle tragédie semblait absurde.

Pourtant, elle n'avait pas peur de mourir. Elle admettait, comme peu de femmes de son âge en sont capables, que la vie se conclut inévitablement par la mort et qu'il est du devoir de tous — envers soi comme envers le Dieu que nous adorons — de faire le plus de bien possible dans le temps qui nous est imparti. Et c'est exactement ce que fit Diana.

– 11 –

BEAUTÉ

Diana n'aimait pas son corps. Elle jugeait ses hanches trop étroites, ses pieds trop grands, son nez trop busqué... Elle aurait voulu ressembler à Audrey Hepburn ou, mieux encore, posséder les courbes de Marilyn Monroe.

C'était son ventre qui lui déplaisait le plus. Elle s'en plaignait constamment :

— Je veux avoir le ventre plat et une taille fine.

Elle savait que la chanteuse Cher s'était fait ôter une paire de côtes pour accentuer sa taille, mais Diana trouvait la solution trop radicale. Elle essaya donc la gymnastique et alla à la salle de sport presque tous les jours.

Je commis un jour l'erreur de lui avouer qu'à dix-sept ans j'étais très mince et lui montrai des photos qui le prouvaient. Elle fut choquée.

— Comment avez-vous pu vous négliger ainsi ?

Et elle se mit en tête de me faire retrouver ma silhouette de jeune fille. Elle me faisait allonger par terre dans son boudoir, et nous suions de concert sur les exercices qu'elle estimait appropriés. Nous fîmes d'innombrables séries d'abdominaux, face et latéraux : je perdis du poids et Diana raffermit son ventre, mais pas assez à son goût.

Les lavements qu'elle affectionnait n'arrangeaient rien. Elle en faisait si souvent que son côlon ne fonctionnait plus correctement ; c'est pourquoi son ventre apparaît distendu sur certaines photos en maillot de bain prises par les paparazzis.

Elle se détestait sur ces clichés, tout comme elle détestait la bosse sur son nez. Elle admettait qu'elle aurait eu l'air idiote avec un petit nez retroussé façon Hollywood, mais elle n'aimait pas sa bosse. Quand je lui disais qu'elle exagérait, elle me prenait le doigt et le passait dessus en disant : « La voilà. Ne me dites pas que vous ne la sentez pas. » En gloussant, elle imitait Peter Sellers incarnant l'inspecteur Clouseau dans *La Panthère rose.*

— Vous sentez la bosse ? disait-elle avec un accent français exagéré.

— Quelle bosse ? répondais-je sur le même ton.

Et nous éclations de rire.

Elle trouvait ses mains et ses pieds trop grands, et je la rassurais :

— Vos mains ainsi que vos pieds sont grands, mais fins ; en harmonie avec le reste de votre corps. Plus petits, ils n'auraient pas été bien proportionnés.

Elle aurait voulu des orteils plus droits, mais, elle le reconnaissait, ils ne seraient pas entrés dans ses souliers pointus.

En revanche, elle reconnaissait que ses jambes étaient superbes : longues, fines, fermes et fuselées. Diana en prenait le plus grand soin et se faisait régulièrement épiler les demi-jambes, tout comme les aisselles et le maillot. Au début, elle faisait confiance à une esthéticienne russe, si brutale qu'elle lui évoquait Rosa Klebb, l'agent sadique dans *Bons Baisers de Russie*. Elle étalait la cire brûlante, puis elle l'arrachait sans ménagement.

– J'avais l'impression d'être un bout de viande !

Elle décida finalement de confier ses épilations au salon de beauté de Kensington High Street, où elle allait pour les soins du visage. Il lui arrivait de s'y rendre à pied depuis le palais de Kensington. Si un passant la reconnaissait, elle le fixait droit dans les yeux en souriant, ce qui dissuadait les curieux de l'importuner.

Jeune femme, elle avait l'habitude de baisser la tête, mais quand elle atteignit la trentaine, elle avait appris à se tenir droite. Elle avait fini par apprécier sa haute taille et elle marchait avec une assurance de topmodel qui soulignait sa séduisante silhouette.

Diana aimait vraiment sa poitrine et la mettait en valeur. Elle achetait ses soutiens-gorge – bonnet C –, chez Rigby & Peller, en face de Harrod's, ou chez Calvin Klein. Elle aurait pu se passer de soutien-gorge sans aucun problème.

Debout à 7 heures, elle commençait sa journée avec du café. Parfois, elle prenait une tasse d'eau chaude et du citron, mais elle adorait le café filtre préparé avec des grains fraîchement moulus, que lui apportait parfois dans sa chambre Paul Burrell. Elle savait que ce n'était pas très sain, mais cela lui donnait le petit coup de pouce nécessaire pour commencer la journée. Elle enchaînait avec un verre de cocktail vitaminé qu'elle préparait elle-même avec sa centrifugeuse dans la cuisine attenante à sa chambre. C'était un mélange de légumes et fruits bio – concombre, betterave, céleri, carotte et pomme, qui, selon elle était un excellent dépuratif, parfait pour le foie. L'après-midi, elle prenait un verre de jus de concombre et céleri comme diurétique. Et elle buvait au moins huit verres d'eau par jour, habitude garante de son teint éclatant.

Le prince Charles est connu pour ses préoccupations écologiques et sa répugnance envers les additifs alimentaires. Il avait trouvé une oreille amie chez Diana. Elle eut un jour une affreuse éruption cutanée en buvant un jus de concombre. Dès lors, tous les fruits et légumes furent achetés chez Planet Organic, à Notting Hill.

Ensuite, elle faisait son jogging dans les jardins et rentrait prendre une douche rapide (elle détestait la transpiration). Elle avait une collection de luxueux laits pour le corps, mais elle préférait généralement utiliser les basiques de Johnson & Johnson.

Après quoi elle prenait un bol de muesli ou un toast ou, quand elle se sentait d'humeur déraisonnable, un croissant, dont elle était très friande. Ensuite, elle partait à 8 heures pour la salle de sport, où elle s'entraînait pendant une heure. Elle se forgeait une silhouette saine et sportive, à mille lieues de la femme trop mince qu'elle était quelques années auparavant.

Quand je fis sa connaissance, elle avalait encore des somnifères et, si elle se couchait tard, elle était parfois très fatiguée le lendemain matin. Elle avait pourtant réussi à briser sa dépendance aux antidépresseurs. Bien que prenant la pilule, elle souffrait de syndrome pré-menstruel, et je lui conseillai de l'huile de bourrache, ainsi qu'un complexe de vitamines B. Cette approche naturelle correspondait en tout point à l'image de la femme qu'elle désirait devenir.

Sa conception de la beauté était l'élégance classique d'Audrey Hepburn ou de Grace Kelly. Elle n'estimait guère les topmodels — « trop maigres et pas très saines ». Elle leur avait pourtant ressemblé lorsqu'elle était anorexique... Le sentiment d'être un peu gras-souillette ne la quitta jamais totalement, mais une fois qu'elle eut maîtrisé sa silhouette, elle s'autorisa un regard plus positif sur elle-même.

Mais elle fut stupéfaite quand des photos qui paru-rent dans la presse donnèrent l'impression qu'elle avait de la cellulite. J'étais au palais ce matin-là.

— J'ai vraiment des jambes aussi affreuses ? Mais d'où vient toute cette cellulite ?

— Quelle cellulite ? Vous n'en avez pas. C'est la prise de vue qui donne cette impression.

Hormis durant sa période d'extrême maigreur, Diana n'était pas du tout pudique. Elle n'avait aucune réticence à se déshabiller devant ses amies. Nous avions discuté pendant qu'elle prenait son bain, je l'avais vue s'habiller, et je n'avais jamais aperçu la moindre cellu-lite. Elle avait des jambes et de belles fesses fermes, grâce au jogging et au sport.

Ce n'était pas seulement pour son apparence que Diana passait tant de temps dans les salles de gym. Le sport lui permettait d'évacuer son trop-plein d'énergie, et l'effort inonde le cerveau d'endorphines qui produisent une sensation de bien-être comme le chocolat – ou la morphine. Plus on s'entraîne, plus on devient accro à cette sensation, et cela conduisit Diana à faire du jogging le soir également.

Elle faisait le tour de Kensington et de Knightsbridge, seule. Tard une nuit, elle m'appela de Sloane Street, à plus de cinq kilomètres de chez elle. Je n'en revenais pas et lui demandai si elle était en sécurité.

– Bien sûr que oui, répondit-elle. Personne n'irait s'imaginer que je suis dehors à une heure pareille !

En tant que princesse, elle se devait d'afficher une apparence soignée et, bien que prétendant qu'elle était plus heureuse en jean, elle mettait un point d'honneur à satisfaire cette exigence. Pourtant, ses secrets de beauté étaient relativement simples.

Le matin, elle retenait ses cheveux à l'aide d'un serre-tête et se lavait le visage avec un savon à la glycérine, spécialement formulé pour les peaux sensibles, en raison de ses allergies. Elle avait un teint de pêche et une peau impeccable, sans le moindre pore dilaté, et des joues roses et lisses.

Elle aimait être légèrement hâlée tout au long de l'année, ce qui n'est guère facile sous le climat anglais. Elle utilisa donc le lit à UV de Charles. Le prince était très soucieux de son apparence et elle prétendait qu'il l'avait réclamé, en vain, lors de la séparation. Elle s'y allongeait, vingt minutes trois fois par semaine, vêtue d'une petite culotte et munie de lunettes de protection.

Après s'être nettoyé le visage, elle appliquait un tonique, à base d'eau de rose et de glycérine, et une lotion hydratante qu'elle préparait elle-même, composé d'un tiers d'huile de rose et pour deux tiers d'huile de géranium. Si elle remarquait un bouton, elle y appliquait de l'huile de noisette, et parfois se faisait des fumigations du visage avec de l'eau additionnée de sel marin. Elle appliquait ensuite un hydratant Guerlain très léger, suivi d'un peu d'anticernes Touche Éclat d'Yves Saint Laurent, si elle avait un rendez-vous.

Elle aimait beaucoup *Vogue* et lisait tous les conseils de maquillage, qu'elle arrachait du magazine pou raller chez Harvey Nichols à Knightsbridge. Elle adorait tester les nouveaux produits, comme les adolescentes. Elle n'aurait jamais demandé au magasin de fermer pour choisir ses produits sans la foule des clients, au contraire. Quand la femme la plus célèbre du monde repérait une autre célébrité, elle était tout aussi excitée que le commun des mortels.

Elle se vernissait parfois les ongles elle-même et testait des couleurs différentes, mais seulement chez elle. Je la convainquis un jour de tenter un bleu assorti à ses yeux. Elle apprécia le résultat mais refusa de sortir avec, sauf sur les orteils quand elle portait des souliers fermés. À cette époque, elle avait une idée précise de ce qui lui convenait le mieux et préférait conserver son look personnel plutôt que suivre les tendances les plus extravagantes.

Il en était du maquillage comme du vernis à ongles. Alors que certaines de ses amies adoraient expérimenter les dernières tendances, elle s'en tenait à un blush

Guerlain rose clair, et à un rouge à lèvres rose avec du gloss. Comme elle savait que ses yeux étaient son meilleur atout, elle les maquillait avec soin. Elle utilisait un mascara hypoallergénique, soulignant parfois le contour de l'œil d'un trait de crayon noir ou bleu. Lorsqu'elle devait assister à une soirée, elle forçait légèrement le trait, puis fardait la paupière.

Les tiroirs de son dressing débordaient de produits de maquillage, certains oubliés, d'autres délaissés, voire perdus, ceux qu'elle utilisait demeurant autour de sa coiffeuse. Comme elle était très maniaque, la pièce semblait toujours bien rangée. On n'aurait pas pu en dire autant de la petite cuisine où elle préparait ses jus ou ses soins de beauté. Car Diana adorait les masques et nous nous amusions à concocter nos propres mixtures. L'une était à base d'avocat, de blanc d'œuf, jus de citron et miel. Elle l'utilisait quand elle avait la peau asséchée par le maquillage. D'autres fois, elle réduisait un avocat en purée et se l'appliquait sur le visage. J'en faisais autant et nous plaisantions sur la réaction d'un visiteur imprévu devant nos visages verdâtres.

Lorsqu'elle était fatiguée, ou après une journée éprouvante, elle battait un blanc d'œuf, se le passait sur le visage et s'allongeait une demi-heure avec des tranches de concombre sur les yeux. Quand nous en arrivions au rinçage, d'abord à l'eau chaude, puis froide, la cuisine ressemblait au laboratoire d'un apprenti sorcier.

Diana prisait les parfums légers et agréables. Elle portait du parfum Kenzo ou des eaux de chez Penhaligon, qu'elle appréciait particulièrement. Elle utilisait Gardenia pour la douche et Jacinthe Sauvage pour le bain. Un jour que nous avions discuté maquillage dans la salle de bains, j'allai à la boutique Penhaligon et en revins avec un flacon de Muguet.

— Super, plaisanta Diana. Quand nous prendrons nos bains ensemble, nous comparerons les parfums !

Si elle avait eu le temps, Diana aurait passé sa vie dans la baignoire à essayer diverses huiles de bain. Mais entre ses trois heures de gym quotidiennes, ses obligations princières et l'éducation de ses enfants, elle courait toute la journée. Son emploi du temps surchargé valait aussi pour ses cheveux. Elle les lavait aussitôt revenue du sport, et deux filles du salon de coiffure Daniel Galvin l'attendaient au palais pour le brushing. L'une s'occupait d'un côté, la seconde de l'autre, et l'opération était réglée en quelques minutes. Elle n'était pas très douée pour se coiffer — sans compter qu'elle n'était pas disposée à renoncer à ce moment de détente.

Elle avait des cheveux fins et abondants, et j'étais fascinée qu'ils ne soient pas desséchés avec toutes les teintures qu'elle leur infligeait. Elle était naturellement châtaine et Daniel Galvin lui faisait un balayage de mèches plus claires. C'était très réussi, mais elle aurait nettement préféré naître avec le blond platine artificiel de Marilyn Monroe.

– 12 –

AFFAIRES DE FAMILLE

— Je la hais, déclara Diana.

Et au cas où je n'aurais pas entendu, elle répéta cela plusieurs fois.

Ce n'étaient que trois mots, mais ils dévoilaient les souffrances que sa mère avait suscitées en elle.

Filles et mères se querellent souvent, mais elles finissent généralement par enterrer leurs désaccords. Ce ne fut pas le cas pour Diana : jusqu'à la fin de ses jours, elle éprouva une féroce rancune envers Frances Shand Kydd. L'attitude de sa mère avait miné son adolescence ; à l'âge adulte, elle pèserait sur chacun des actes.

Cela la conduisit à consacrer toute son attention à ses propres enfants, mais la rendit également méfiante et circonspecte avec les autres. Sa mère lui avait menti en la quittant, promettant de revenir sous peu ; elle ne regagna jamais la demeure familiale. Depuis, Diana était incapable d'accorder entièrement sa confiance à quiconque, redoutant qu'on la laisse tomber tôt ou tard.

Je pus mesurer la haine qu'elle éprouvait envers celle qui lui avait donné la vie peu de temps après que Mme Shand Kydd eut accordé une interview au magazine *Hello !* en novembre 1995. Quand Diana m'appela, j'étais sur l'autoroute M4 en direction de Londres. Elle roulait vers Kensington, venant juste de déposer Harry à sa pension, et elle m'invita à la rejoindre aussitôt. J'arrivai deux minutes avant elle et la vis arriver en trombe.

Elle ôta ses bottes en caoutchouc vert et nous montâmes dans la cuisine nous préparer un jus de céleri et concombre, puis nous passâmes dans la salle de jeux vidéo de William et Harry pour bavarder. L'interview de *Hello !* la tracassait depuis quelques jours. Elle était vexée que sa mère ne l'ait pas prévenue et humiliée qu'on gagne de l'argent sur son dos.

Soudain, le téléphone sonna.

— Quand on parle du loup... fit Diana.

Elle m'attira près d'elle pour que je puisse entendre. Sa mère parlait d'une voix pâteuse comme si elle avait trop bu. Je remarquai que Diana rougissait de plus en plus à mesure que la colère la gagnait. Elle serrait les dents et essayait de se contenir.

— Maman, je suis très fâchée contre vous.

— Pourquoi ? demanda Frances.

— À cause de tout ce que vous avez raconté à *Hello !*...

Dans l'interview, Mme Shand Kydd avait commenté les problèmes d'anorexie de Diana et la perte du statut d'Altesse royale : « J'ai trouvé cela absolument merveilleux. Ma fille va pouvoir être elle-même, utiliser son propre nom et trouver son identité. [...] J'espère sincèrement qu'elle obtiendra satisfaction dans la vie. La satisfaction est pour moi plus importante que le bonheur. C'est un sentiment de bien-être mental et physique. »

Diana considérait ces déclarations comme une trahison totale.

— Pourquoi m'avez-vous fait cela ? s'emporta-t-elle. C'est vrai, le monde entier se remplit les poches sur mon dos. Mais vous, vous êtes ma mère. Pourquoi vous êtes vous sentie obligée d'en faire autant ?

— Ma chérie, j'ai simplement dit ce que je pensais.

Diana était folle de rage.

— Vous avez trop bu, vous ne savez pas ce que vous racontez. Promettez-moi de ne plus jamais donner d'interview.

Après un silence, sa mère déclara d'une voix rauque et pâteuse :

— C'est moi qui aurais dû être la star !

— Maman, restons-en là.

Et elle raccrocha.

Sa mère l'exaspérait chaque fois qu'elle lui parlait et, malgré tous mes efforts, c'était très difficile de la calmer ensuite. Nous évoquâmes les fardeaux que nos mères respectives nous avaient légués et la culpabilité que nous éprouvions quant aux disputes de notre jeunesse, mais au lieu d'agir comme une catharsis, cela ne fit que raviver les douloureux souvenirs d'enfance de Diana.

— À cause d'elle, j'aurais préféré ne jamais être née, conclut-elle.

Je tentai de la raisonner, lui faisant remarquer que le problème ne venait pas d'elle : il provenait de sa mère, qui essayait de projeter ses angoisses, remontant bien avant la naissance de Diana. D'après ce que je venais d'entendre, j'avais la nette impression que Mme Shand Kydd était une ratée en mal de célébrité, qui jalousait le statut de sa fille, à la fois comme princesse royale et comme icône populaire.

Dans sa jeunesse, Frances avait été une ravissante débutante, dont la photo était parue dans les journaux et les magazines mondains et qui avait fait un mariage prestigieux.

— Elle a vécu sa vie, disait Diana. Et maintenant, elle veut me priver de la mienne.

Et le comportement de sa mère en 1995 réveilla chez Diana une détresse ancienne, depuis que Frances avait quitté son époux et ses enfants pour s'enfuir avec son amant. La rancœur de Diana incluait Peter Shand Kydd : elle lui reprochait de lui avoir « volé » sa mère. Elle ne l'appelait jamais par son prénom, mais « le mari de ma mère ». À six ans, la petite Diana avait dû se sentir affreusement abandonnée. Pendant des années, elle ne cessa de culpabiliser, persuadée que c'était elle qui avait provoqué le départ de sa mère. C'était faux bien sûr, mais la désertion de sa mère la priva non seulement de son enfance, mais aussi d'une vie d'adulte équilibrée.

Dépourvue de l'amour et du réconfort maternels, elle me raconta comment elle avait cherché conseil auprès de son père. Bien qu'il eût du mal à exprimer ses sentiments, il l'aimait beaucoup. C'était la dernière de ses trois filles et sa préférée. Il lui lisait des histoires pour l'endormir.

Il n'avait pas témoigné une telle patience à l'égard de sa femme, dont le comportement l'exaspérait, mais, selon Diana, il n'était pas violent, contrairement à ce que prétendait Frances.

— Jamais il n'aurait fait une chose pareille.

Il n'était pas non plus alcoolique. Elle reconnaissait qu'il aimait bien boire, mais soulignait que la seule à être alcoolique était sa mère. À mesure que les années passaient, chacun de ses parents avait expliqué l'échec de leur mariage, mais Diana ne croyait pas à la version de sa mère.

— Elle voulait qu'on lui passe ses moindres caprices pendant qu'elle nous laissait à une nourrice. Et elle raconte n'importe quoi.

Malheureusement, les journalistes préféraient la version de Mme Shand Kydd, ce qui agaça Diana. Pour elle, sa mère inventait qu'elle avait été violée par son mari pour faire oublier qu'elle avait abandonné ses enfants.

— Mais si je m'avise de rétablir la vérité dans la presse, on va croire que je cherche à la couvrir de boue, observait Diana. Je ne peux pas.

Durant les séances de méditation, je lui suggérais de se concentrer sur les aspects positifs de ses proches, mais elle ne trouva jamais rien de positif sur sa mère. Elle la décrivait comme une femme incapable de tendresse, qui ne la prenait jamais dans ses bras ni ne l'embrassait, et profondément égoïste.

— Elle n'aurait jamais dû faire d'enfants. C'était « moi, moi, moi » constamment. Cette égoïste aimerait que le monde tourne autour d'elle.

Quand Charles la demanda en mariage, Diana partit en Australie pour réfléchir. Elle espérait que Frances se comporterait enfin en mère aimante. Elle aurait aimé qu'elle la rassure ou lui conseille au contraire de rompre les fiançailles. Malgré la fragilité de Diana, sa mère la poussa au mariage parce qu'elle se réjouissait d'avance du prestige d'avoir le prince de Galles pour gendre.

Lord Spencer se comporta tout à l'opposé. Il était pleinement conscient des faiblesses de sa fille, à commencer par sa complète ignorance des questions financières. Diana avait trente ans qu'il disait encore : « Elle ne comprend rien à l'argent — elle est trop jeune. » Au cours des années, il lui avait donné « entre un demi-million et un million de livres » (entre environ 750 000 et 1 500 000 euros) pour assurer son indépendance vis-à-vis de la famille royale, et quand la vie de princesse devint insupportable à Diana, c'est auprès de lui qu'elle alla chercher du réconfort. Comme il disait sans ménagement :

— Agis au mieux, pour toi comme pour tes fils. La famille royale peut aller se faire voir !

Cet ancien écuyer de la reine considérait sa patronne comme une femme glaciale et égocentrique. Il avait dit à Diana, avant le mariage, qu'elle n'était pas obligée d'épouser Charles si elle hésitait. Dans les pires moments, s'il ne lui conseilla jamais de demander le divorce, il lui assura qu'il la soutiendrait quelle que soit sa décision.

Ses sœurs, Sarah et Jane, n'étaient pas du tout du même avis. Plus âgées respectivement de six et quatre ans, elles avaient mieux supporté le départ de leur mère, et, devenues adultes, s'étaient installées dans une existence très compassée, convenant à leurs origines aristocratiques. Les deux sœurs rechignaient à bousculer les conventions et, lorsque le couple princier commença à vaciller, elles pressèrent Diana de privilégier ses devoirs royaux plutôt que ses propres sentiments. Et cette attitude provoqua la rupture.

Diana regrettait de ne plus partager d'intimité avec Jane, qu'elle avait toujours jugée fille amusante. Elles ne rompirent pas totalement, car Jane habitait dans le quartier : à vingt ans, elle avait épousé le secrétaire privé de la reine, Robert Fellowes (désormais lord Fellowes), de seize ans son aîné. Lorsque ses problèmes conjugaux s'intensifièrent, Diana considéra que sa sœur faisait partie du « camp ennemi » à cause de son mari. Elle n'aimait pas Fellowes et cela l'empêchait de s'épancher auprès de sa sœur. Pour une fois, Diana se comportait en adulte, mais cela créa un fossé entre elles.

Sarah, elle, était le mouton noir de la famille : elle s'était fait expulser du lycée pour alcoolisme et avait ensuite décroché un poste d'assistante éditoriale chez *Vogue*, où Jane avait travaillé brièvement avant son mariage. Sarah avait épousé un propriétaire terrien, Neil McCorquodale, pilier de la bonne société provinciale, qui devint High Sheriff du Lincolnshire. Elle aussi avait souffert d'anorexie nerveuse dans sa jeunesse, elle aussi avait fréquenté le prince Charles... Diana était convaincue que, comme leur mère, Sarah l'enviait secrètement d'avoir ravi le plus beau parti d'Angleterre. Sarah était souvent à court d'argent et Diana lui en prêtait, sans jamais réclamer de remboursement. Elle lui donna aussi des vêtements, mais cela ne lui apporta pas le soutien de Sarah quand elle décida de quitter Charles. Jane et Sarah étaient claires : Diana devait fermer les yeux sur l'infidélité de son mari et placer les exigences de la famille royale avant son épanouissement personnel.

Mme Shand Kydd tenait le même discours. Ostracisée depuis sa séparation d'avec le comte Spencer en 1967, elle considérait le prestigieux mariage de Diana comme un moyen de revenir dans le monde. Une fois les fiançailles officiellement annoncées, elle réapparut dans la vie de sa fille. Elle venait à Buckingham prendre le thé et elle aida Diana à choisir sa robe de mariée. Pendant un certain temps, il sembla que les fantômes du passé étaient maintenant oubliés.

Mais le fossé s'avéra trop grand. Diana m'expliqua qu'elle déjoua bien vite les véritables motifs de sa mère, et commenta ainsi sa tristesse :

— Lorsqu'on est blessé, les cicatrices se voient. Mais les miennes sont cachées. Elles sont d'ordre psychologique.

Charles n'aimait pas Frances non plus, et les garçons pas davantage. William et Harry séjournaient chez elle en Écosse, mais uniquement par sens du devoir, disait Diana. William faisait de sa grand-mère une très amusante et très cruelle imitation, avec sa voix pâteuse. Remarquons que Frances ne fut pas invitée à la confirmation de William à Windsor, en mars 1997. Elle fit paraître un avis dans la lettre d'information de la cathédrale d'Oban, dont elle était paroissienne depuis sa conversion au catholicisme : « Pour mon petit-fils

William, à l'occasion de sa confirmation, tout mon amour, Granny Frances ».

Quand on lui demanda pourquoi elle n'y assistait pas, elle répondit :

— Ce n'est pas à moi qu'il faut poser la question, mais au secrétariat des parents de William.

Mme Shand Kydd ne fut pas la seule à être « oubliée » dans cette fête. Diana avait passé plusieurs après-midi à me raconter sa vision des événements si toutes les personnes « épouvantables » qu'elle connaissait étaient présentes à la chapelle St George.

— Que portera Camilla ? Un truc hideux, à coup sûr, ironisa-t-elle.

Camilla Parker Bowles ne figura pas sur la liste des invités. Tiggy Legge-Bourke si, et elle aida même à l'organisation. Diana fut furieuse en découvrant sa participation et grinça :

— Si jamais elle vient, je lui plonge la tête dans les fonts baptismaux et je la noie.

Tiggy eut le tact de ne pas assister à la cérémonie.

L'exclusion de Frances fut due à une raison tout aussi personnelle, en particulier à sa position durant le divorce. En effet, elle avait supplié Diana de tolérer les liaisons de Charles. Diana avait été choquée de ce conseil et lui avait fait remarquer avec aigreur :

— Dès que vous avez eu une liaison, vous nous avez quittés. Et vous vous étiez assurée qu'il y avait un autre homme qui vous attendait avant de quitter papa.

Elle trouvait cela répugnant. Pour elle, cela signifiait que Frances n'avait jamais aimé ni son mari ni ses enfants.

Sa propre mère étant aux abonnés absents, Diana s'était tournée vers l'épouse du comte Spencer, Raine. Leur amitié n'était pas gagnée d'avance : son père avait épousé la fille de la romancière Barbara Cartland en 1976, alors qu'elle avait quarante-six ans, sans en informer ses enfants. Ils détestèrent immédiatement cette femme impérieuse et dynamique, avec son extravagante crinière rousse, qui était devenue du jour au lendemain la châtelaine de leur demeure ancestrale. La comtesse subit de plein fouet le venin de ses beaux-enfants. Ils raillaient ses cheveux laqués, dérangeaient les coussins qu'elle arrangeait soigneusement, refusaient de lui répondre. Diana, qui venait d'avoir quinze ans, était la plus hostile. Ses aînées avaient quitté la maison familiale, et elle était devenue le principal objet de l'attention de son père. Ayant déjà perdu une mère, elle se convainquit que Raine essayait de l'écarter pour lui voler son père. Du coup, elle la traitait de manière abominable, à tel point qu'à la table d'Althorp, lors d'un déjeuner, lord Spencer, très fâché, lui avait passé le premier savon de sa vie en lui ordonnant de surveiller ses manières.

Pour ajouter une insulte financière à un orgueil déjà blessé, Raine vendit quelques biens de la famille, dont lord Spencer avait hérité à la mort de son père, septième du nom. Ainsi partirent sept van Dyck, un Reynolds, des croquis de portraits de Gainsborough, des meubles et des documents d'archives. Diana, son frère et ses sœurs furent convaincus qu'elle les privait de leur héritage.

— Nous sommes devenus enragés. Nous pensions

qu'elle bazardait l'argenterie de famille, m'expliqua Diana.

Car, parmi les trésors dont se débarrassa Raine, figurait une vaste collection de seaux à glace en or et en argent fabriqués en 1690 pour leur ancêtre, le premier duc de Marlborough, qui furent vendus un million de livres (environ un million et demi d'euros) au British Museum.

Le frère de Diana, Charles, était indigné. Il raconta à sa sœur que Raine faisait fabriquer des copies des meubles pour que personne ne remarque que les originaux avaient disparu. Diana crut ce mensonge, car elle nourrissait une confiance aveugle envers son frère aîné. Lorsque, adolescente, elle cherchait désespérément un petit ami, il lui déclara qu'elle était trop grosse. Cela la blessa profondément. Diana ne l'accusait pas d'avoir provoqué ses troubles alimentaires, mais il y contribua certainement.

Il se montra tout aussi décourageant lorsque le mariage de Diana périclita :

— Tu étais peut-être trop grosse pour lui ?

En cette occasion, comme en bien d'autres, Charles imposait à sa sœur ses propres névroses. Il en fit autant avec son épouse, Victoria Lockwood. Comme il aimait les femmes longilines, elle faisait en sorte de le demeurer, et comme Diana, finit par souffrir de graves problèmes. Diana, qui avait fini par se détacher de l'influence de son frère, téléphonait souvent à Victoria pour la consoler quand son mariage sombra : Charles et Victoria, qui avaient quatre enfants, divorcèrent avec perte et fracas en 1997.

Au tribunal, il fut dépeint comme un mari adultère et arrogant. Son propre père ne remit pas les témoignages en doute. Quand il fut révélé que Charles avait entamé une liaison quelques semaines après les noces, lord Spencer avait répondu :

— Il a épousé une fille splendide, mais je crois qu'il manque un peu de maturité.

Il espérait que cela lui viendrait un jour, mais avouait que ses enfants « avaient un peu déraillé ». La querelle entre le père et le fils fermentait depuis que Raine avait pris en main les destinées de la propriété familiale. À un moment, les relations étaient si tendues que Charles refusait de mettre les pieds dans le Northamptonshire. Lord Spencer le traita d'ingrat, « financièrement trop immature » pour comprendre la difficulté à gérer un domaine de la taille d'Althorp.

— Mon père m'a laissé de grosses dettes. J'ai dû payer un million et demi de livres (environ 2 260 000 euros) de droits de succession. Certains des objets que j'ai vendus m'étaient très chers, et cela n'a pas été une décision agréable.

Raine balaya les objections de Charles d'un sarcasme :

— Mon beau-fils croit que Botticelli est un groupe de rock.

Et pourtant, le beau-fils en question hérita d'Althorp. Dans son testament, lord Spencer avait demandé qu'il soit accordé à Raine six mois d'usufruit de la maison. Une heure après son décès d'une crise cardiaque, en mars 1992, le personnel fut informé qu'elle n'était plus la bienvenue. Quand elle vint chercher ses biens, on lui demanda de présenter des factures. Diana joua un rôle de premier plan dans cette expulsion indigne.

— C'est moi qui ai fourré les vêtements de Raine dans des sacs-poubelle, me raconta-t-elle.

La mort de son père provoqua un vide béant dans la vie de Diana, qui se trouva très seule et démoralisée. Elle le décrivait comme « mon filet de sécurité, mon roc ». C'était vraiment un roc, et elle commença à consulter des médiums pour tenter de le contacter dans l'au-delà.

— Je le sens auprès de moi, souvent.

Pourtant, le soutien dont elle avait tant besoin lui vint, curieusement, de la « méchante belle-mère ».

Leur amitié date du moment où Diana se libéra de l'influence de son frère. À la fin du printemps 1993, elle demanda au nouveau comte Spencer d'utiliser l'une des fermes de la propriété après sa séparation d'avec le prince Charles. Leur père lui avait promis qu'il y aurait toujours une maison pour elle et, bien que ce fût une promesse orale, elle présumait que son frère l'honorerait lorsqu'il hériterait d'Althorp et de ses cinq mille deux cents hectares de pittoresques fermages. Charles se montra apparemment obligeant en lui proposa Garden House, dotée d'une piscine et d'un petit cottage idéal pour les gardes du corps. Diana choisit les teintes avec son décorateur préféré, Dudley Poplack, originaire d'Afrique du Sud. Deux semaines plus tard, Charles refusait de subir les inconvénients qu'aurait suscités sa présence. Il lui déclara clairement qu'il était le maître du domaine et que lui seul décidait.

Diana en fut profondément blessée. Elle me raconta que lorsqu'il l'avait appelée pour lui faire part de sa décision, elle lui avait raccroché au nez. Ensuite, elle lui avait adressé une lettre qui lui était revenue non décachetée.

— Il m'a refusé ma part d'héritage, disait-elle, les larmes aux yeux.

Tandis que le frère et la sœur s'empoignaient, Raine avait commencé une histoire d'amour avec le comte Jean-François de Chambrun, aristocrate français de sept ans plus jeune qu'elle et qu'elle allait bientôt épouser. L'attirance, expliquait-elle, était physique.

— La thérapie de substitution hormonale est un miracle pour la vie sexuelle, confia-t-elle à Diana.

Tout au feu de leur passion, Raine et Chambrun s'installèrent au Ritz, à Paris. Diana leur envoya un bouquet et une carte de vœux.

Raine répondit par une lettre qui mit Diana en joie. Elle me demanda mon avis et je lui conseillai :

— Il est évident que vous devez la revoir.

Fidèle à elle-même, elle voulut inviter immédiatement Raine, mais il fallut quelques jours pour organiser la rencontre à Kensington : Diana ne tenait pas en place.

— Et si cela se passe mal ?

— Eh bien, vous serez revenue au point de départ, mais vous n'aurez rien perdu.

Il y eut quelques moments délicats dans la conversation, ce qui n'était guère surprenant après tant d'années d'animosité, mais les deux femmes s'aperçurent qu'elles s'estimaient. Elles parlèrent longuement de Johnny

Spencer, l'homme qu'elles avaient toutes deux aimé, ce que Diana trouva très touchant et, en partant, Raine déclara :

— Si vous avez la moindre question, n'hésitez pas à m'appeler.

Diana en avait bien sûr une liste interminable. Elle voulait connaître les réponses à tant de questions qu'elle fut en contact presque tous les jours avec Raine, et c'est là que leur amitié naquit. Elles se parlaient au téléphone presque tous les matins et prenaient le thé ensemble une fois par semaine, chez Raine dans Mayfair, ou au Claridge.

Sous sa crinière rousse, Raine était une fine psychologue. Elle prit le temps d'écouter les souvenirs d'enfance de Diana et lui expliqua, comme je l'avais fait, qu'elle devait avancer dans sa vie au lieu de s'appesantir sur le passé. Nous avons tous besoin d'une femme plus âgée auprès de qui soulager nos peines de jeunesse. Généralement notre mère remplit ce rôle, mais Mme Shand Kydd ne fut jamais en mesure d'endosser ce statut, ni disposée à le faire. Elle avait été absente à des moments cruciaux, et lorsqu'elle revint dans la vie de Diana, elle l'accabla de ses propres problèmes. Bon nombre étaient dus à son amour pour la bouteille. Diana s'inquiétait pour elle, naturellement, mais lorsqu'elle demanda à Raine comment réagir vis-à-vis de l'alcoolisme de sa mère, sa belle-mère lui répondit de ne pas perdre son énergie dans quelque chose qui ne dépendait pas d'elle. Selon Raine, personne ne pouvait empêcher Frances de boire, à part elle-même.

Diana accepta le verdict de Raine, car elle se fixait au bon sens de sa belle-mère, largement frappée au coin de l'expérience. Raine était particulièrement perspicace avec les hommes. Elle conseilla à Diana de rester toujours en bons termes avec son ex-époux, pour le bien de leurs enfants, mais aussi parce que ce n'était ni juste ni honnête de tirer un trait sur un être dont elle était encore amoureuse, comme elle l'admettait elle-même. Raine se donnait en exemple et expliquait que sa mère, Barbara Cartland, et elle-même, gardaient le contact avec tous leurs anciens maris et amants, et Diana déclara avec un sourire :

— Cela doit faire une longue liste...

Raine recommanda à Diana de prendre des amants avant de se fixer de nouveau. Diana expliqua qu'elle avait du mal à avoir des relations sexuelles sans être amoureuse, et cela les amena à parler du type de compagnon qui lui conviendrait le mieux. Selon Raine, sa belle-fille avait besoin d'un homme qui la mette sur un piédestal « et la gâte à en devenir folle ». Soit la manière dont toutes les femmes devraient être traitées. L'argent était un critère important.

— Elle m'a conseillé de trouver un homme assez fortuné pour pouvoir m'entretenir, m'expliqua Diana.

C'était un conseil que Diana ne suivit pas toujours, mais ces conversations lui furent très chères et, dans la dernière année de sa vie, elle n'aurait déplacé l'heure de ces thés pour rien ni personne – pas même Hasnat Khan.

Raine n'approuvait pas les relations de Diana avec le médecin pakistanais, mais elle était bien trop avisée pour polémiquer sur la question. Elle préféra se contenter de quelques remarques judicieusement choisies sur les dangers de trop s'investir avec quelqu'un d'un milieu si différent, fauché de surcroît.

Mme Shand Kydd, elle, n'essaya même pas de dissimuler son mécontentement. Comme l'observait Diana, « elle n'aimait pas les gens de couleur », et lorsqu'elle apprit l'affection de sa fille pour Hasnat, elle l'appela et remarqua :

— Pour commencer, ce n'est qu'un chirurgien. Ensuite, c'est un Pakistanais et un musulman. Enfin, c'est un roturier.

Et elle accusa sa fille de se ridiculiser.

Diana fut outrée par l'attitude de sa mère. L'interview pour *Hello !* enfonça le dernier clou sur le cercueil de leur relation. Elle ne reparla plus jamais à Frances.

— Raine est la mère que je n'ai jamais eue, me confia-t-elle.

– 13 –

BONNES ŒUVRES

Ce que j'enseignai à Diana de plus important fut l'art de soigner. Cela lui permit d'apporter le réconfort aux centaines de milliers de grands malades qu'elle rencontra.

Je pense qu'elle a également contribué à modifier la vision de la monarchie anglaise. Une chose est sûre : la cour ne pourra revenir aux traditions ancestrales. Avant son arrivée, les femmes de la famille royale britannique devaient être convenables, réservées, gracieuses et bien élevées. Elles n'étaient pas autorisées à souiller leurs mains dans la moindre tâche difficile. « N'oubliez pas votre rang » est une devise qui a résonné à travers les siècles et qu'elles devaient honorer en permanence. Le travail aurait entaché le voile recouvrant le mystère de la royauté. Même les émotions humaines ordinaires devaient être contenues. Toute manifestation de peine, de joie, de chagrin ou de tristesse était considérée comme « indigne ».

Pour Diana, c'était hors de question. Cette jeune femme moderne réagissait selon son cœur, pas selon les exigences protocolaires.

Quand elle était heureuse, elle riait – ouvertement, sans gêne, d'une manière communicative qui charmait tous ceux qui l'ont connue ; quand elle était malheureuse, elle ne cachait pas sa peine ; et quand elle rencontrait une personne en souffrance, elle s'efforçait de la réconforter. Il n'y avait rien de calculé ou de prémédité.

– Le temps nous est compté, me disait-elle souvent. Il faut agir du mieux possible, prendre du temps pour autrui, parce que sinon, nous ne vivons pas, nous existons, sans plus.

Tel était le leitmotiv qui la guidait dans ses œuvres de bienfaisance. Celles auxquelles elle s'associa la considèrent d'abord comme un symbole, au même titre que les autres membres de la famille royale. Elles se retrouvèrent avec un membre actif dont l'investissement était total.

Rien n'était trop bas ou trop indigne pour elle. Elle prenait dans ses bras des lépreux et des malades du sida. Elle cajolait les blessés et les malades, et, contrairement à la reine, ne portait pas de gants. Diana était si dévouée à ses œuvres qu'elle apprit à canaliser son remarquable don pour la thérapie holistique afin d'aider les plus souffrants.

Lorsque je lui appris à méditer, je l'entraînai à canaliser ses énergies. Elle s'y mit très rapidement et, une fois qu'elle eut attrapé le coup, elle s'en servit sur tout le monde : William et Harry, ses amis et les malades qu'elle rencontrait dans le cadre de ses œuvres humanitaires. Elle travailla sur moi un jour que je souffrais beaucoup du dos et elle me soulagea vraiment en quinze minutes. Si elle avait continué, je me serais endormie.

Quand je travaille, mes mains sont placées à quelques centimètres de mon patient. Diana préférait le contact direct. Elle était très tactile et me raconta qu'étant enfant elle se blottissait toujours contre la personne qui venait lui lire des histoires dans son lit. Lors de ses visites dans les hôpitaux et hospices, elle tenait la main des malades et les regardait dans les yeux pour qu'ils sentent son énergie et son amour.

— Rien ne me donne plus de joie que d'essayer d'aider les plus défavorisés. C'est mon unique véritable but dans la vie : c'est mon destin.

Ses souffrances passées lui permettaient de comprendre les problèmes des autres. Carl Jung, l'un des pères fondateurs de la psychothérapie moderne, souligne : « Le médecin est efficace seulement lorsqu'il est lui-même affecté. Seul le médecin blessé peut guérir. Mais quand le médecin porte sa personnalité comme une armure, il n'a aucun effet. »

La vie avait sans conteste laissé des cicatrices chez Diana, mais elles lui permettaient de ressentir intimement les difficultés d'autrui. Par exemple, lorsqu'elle visita un foyer pour femmes battues, elle comprit qu'elle n'était pas la seule à avoir souffert dans son couple. Sa fragilité, visible, lui attirait les sympathies et, sans le moindre effort conscient de sa part, elle devint un exemple pour les femmes empêtrées dans des relations difficiles. Elles trouvaient dans ses problèmes un écho aux leurs et s'inspiraient de son opiniâtreté à lutter, de son courage et de son attitude volontaire.

Et quand l'occasion se présentait, Diana soignait les gens de manière directe. La plupart du temps, je ne crois pas qu'ils se rendaient compte de ce qu'elle faisait, mais je ne doute pas que cela leur ait fait du bien. L'ayant vue pratiquer à Kensington avec ses fils et quelques patients, je constatais une amélioration. Diana leur transmettait une partie de son rayonnement personnel.

Lucia Flecha de Lima était d'accord avec moi.

— Mon mari avait eu une grave attaque à Washington, racontait-elle. Bien sûr, j'ai averti la princesse, qui a pris le premier avion.

Lucia et son fils avaient tous les deux vainement essayé de communiquer avec lui sur son lit d'hôpital.

— Diana a demandé si elle pouvait essayer. Je lui ai dit : « Bien sûr ». Quand elle a prononcé son nom, il a ouvert les yeux et s'est pratiquement redressé dans son lit. C'est tout à fait vrai : elle avait un pouvoir particulier.

Bon nombre de photographies montrent Diana, les yeux fermés, concentrée, essayant de canaliser ses énergies bienfaisantes sur les malades ou les blessés. En Bosnie, la correspondante anglaise Christina Lamb, couronnée par des prix, la vit tenir la main d'une enfant dont les intestins avaient été arrachés par l'explosion

d'une mine. Elle écrivit par la suite : « L'enfant grima-
çait de douleur, mais me demanda si la belle dame était
un ange. »

Diana possédait une extraordinaire faculté qui
n'attendait que d'être révélée. Dès 1996, lorsqu'elle
maîtrisa totalement sa vie, elle fut en mesure d'apporter consolation et encouragements à son entourage.
À l'époque, le monde semblait avoir renié la princesse
qu'il avait adulée : on l'accusait d'agir par soif de
publicité. C'était tout à fait inexact. Je l'ai souvent
retrouvée lorsqu'elle rentrait d'une journée de travail,
exténuée et en larmes. Elle était préoccupée par ce
qu'elle avait vu et vécu, et voulait absolument trouver
le moyen d'aider les gens.

Ses visites tardives à l'hôpital devinrent coutumières.
Le personnel soignant et les patients étaient toujours
ravis de la voir. Elle restait très simple :

– Je suis juste passée voir si tout le monde arrivait
à dormir ! plaisantait-elle.

Bien que comprenant l'utilité des visites officielles
afin de recueillir des fonds pour ses œuvres, elle préférait nettement ces occasions informelles. Elles lui
permettaient de parler aux gens, et d'en apprendre
davantage sur leurs maladies et leurs émotions. Et cela
en toute simplicité, sans une horde de journalistes
enregistrant ses paroles. Elle n'essayait pas de combler
un vide personnel : c'était un investissement absolument désintéressé.

Elle assista à plusieurs pontages coronariens effec-
tués par sir Magdi Yacoub. Une fois, en avril 1996, elle

arriva à l'hôpital de Harefield et trouva une équipe de Sky TV installée dans le bloc opératoire. Elle avait bien trop l'habitude des médias pour se laisser troubler par cette intrusion. Plutôt que de s'en formaliser, elle s'était concentrée sur la table d'opération. Elle apprit beaucoup en ces occasions et c'est à force d'assister à des opérations du cœur qu'elle se mit à pratiquer religieusement le jogging.

— Cela m'a tellement horrifiée de voir ces artères bouchées ! m'expliqua-t-elle.

De la même manière, elle espérait que sa présence aiderait à faire connaître le travail de son ami, sir Magdi.

Malgré cela, elle fut victime de bien des critiques acerbes pour s'être laissé filmer durant l'intervention. La reine se déclara « sans voix ». Elle ne comprenait tout bonnement pas comment sa bru pouvait assister à un spectacle aussi « horrible ». Suivant l'exemple de leur souveraine, les vieilles punaises de la cour en profitèrent : ébranlées par la sympathie populaire suscitée par Diana, elles ripostaient en la dépeignant comme un être instable affligé d'un goût morbide pour les souffrances d'autrui. Les amis du prince de Galles suggéraient à la presse des anecdotes accablantes.

C'était un procédé scandaleux, mais la cour tremblait : en se montrant aussi dévouée aux autres, la princesse avait fait passer le reste de la famille royale pour des gens distants et insensibles.

De son côté, Diana critiquait tout particulièrement la princesse Michael de Kent. Elle la détestait depuis le premier jour. Le fait qu'elles soient voisines au palais de Kensington leur assurait une hostilité durable. Diana n'aimait guère Camilla, mais ce n'était rien à côté de ce qu'elle éprouvait envers Marie-Christine. Pour elle, la princesse « prenait trop de place ».

Elle me montra une carte de Noël de Marie-Christine et de son mari, le prince Michael. Le couple posait sur une colline. La princesse, beaucoup plus grande que son époux, se tenait derrière lui, ce qui ne faisait qu'accentuer leur différence de taille.

— On voit bien qui porte la culotte, là-dedans ! railla Diana.

Sa voisine avait une vision si prétentieuse de son statut social que même la reine avait lâché sarcastiquement :

— Elle est tellement plus noble que nous...

Le père de Marie-Christine avait servi dans les Panzer d'Hitler durant l'invasion de la Pologne et de la Russie. Bon nombre des membres de la famille avaient été autrement plus proches du parti nazi, et bien que Reibnitz n'ait été impliqué en aucune façon dans les atrocités commises par la garde prétorienne d'Hitler, sa fille était stigmatisée. Quand elle la croisait dans le jardin de Kensington, Diana lançait :

— Tiens, les Waffen SS sont de sortie.

Elle alla même une fois jusqu'à marcher au pas de l'oie devant Marie-Christine.

— Je m'étire les jambes, expliqua-t-elle benoîtement.

Marie-Christine riposta en l'appelant « ma voisine la crétine ».

La princesse Michael avait des chats birmans. Pour les protéger des attentions importunes des chats de gouttière, elle posa des pièges. Diana prit l'habitude de se faufiler dans les buissons pour libérer les pauvres bêtes. Une fois, elle laissa même à la place un chat en peluche. Diana se souciait peu des chats, mais ceux de Marie-Christine lui faisaient peur. Ils étaient hautains, d'un tempérament glacial et susceptible – un peu comme leur propriétaire, notait Diana.

Cette inimitié reposait sur un drame humain. Dès qu'un membre du personnel de Kensington avait un problème, il s'adressait à Diana. Elle enregistrait les doléances sur son Dictaphone Sony. Certaines des cassettes, dont celle contenant l'infâme allégation qu'un valet de pied avait été violé par un membre du personnel du prince Charles, étaient dissimulées dans son appartement. Elle en confia quelques-unes à ses conseillers juridiques. La femme de chambre de la princesse Michael, Julia Dias, vint chercher conseil auprès de Diana. Elle avait contracté un cancer du sein – et déclara qu'elle avait été congédiée pour cette raison par Marie-Christine, qui était pourtant marraine de la Société de recherches sur le cancer du sein.

Diana invita Julia à prendre le thé et enregistra toute la conversation. Elle me la repassa et nous fondîmes en larmes en écoutant l'histoire de la femme de chambre. Diana apporta la cassette à l'un de ses avocats, qui contacta la princesse Michael de Kent.

Celle-ci nia énergiquement l'accusation de licenciement pour maladie, arguant qu'elle avait aidé Julia à payer ses frais médicaux et soutenant que sa domestique avait voulu démissionner. Julia, son mari et son fils durent quitter leur appartement de fonction : elle mourut de son cancer trois ans plus tard. Diana garda le contact avec elle jusqu'à la fin, ce qui n'améliora aucunement ses relations avec sa voisine.

Elle ne s'entendait pas très bien avec la plupart des aristocrates. Elle n'était plus la jeune fille hésitante d'autrefois, qui essayait tant de se faire accepter. À présent, elle était équilibrée et assez sûre d'elle pour les juger tels qu'ils étaient et elle les trouvait trop distants, trop imbus d'eux-mêmes, trop conscients de leur « statut », trop insensibles aux souffrances des autres pour mériter son estime.

L'exception était la duchesse de Kent. Comme Diana, elle appartenait à une vieille famille d'aristocrates anglais, avec un détail piquant : elle comptait parmi ses ancêtres Oliver Cromwell, instigateur de l'exécution du roi Charles Ier en 1649. Comme Diana, elle avait eu beaucoup de mal à trouver sa place à la cour.

— Je comprenais très bien Diana, pour des raisons évidentes, se rappelait la duchesse. De la vie à la cour, je connaissais les difficultés comme les avantages.

Elles étaient toutes les deux belles et élégantes, mais ce fut leur tempérament généreux qui les rapprocha. Diana la décrivait comme une sainte, aussi méritante que Mère Teresa.

La tradition lui interdisant d'avoir ce que le monde moderne appellerait un « vrai travail », la duchesse s'engagea dans diverses œuvres charitables. Tout comme

Diana, elle refusait d'être un simple nom sur du papier à en-tête. Diana aussi avait plus de facilités à s'entendre avec ceux qui n'étaient pas de sa classe sociale – et ce n'était pas du snobisme à rebours. C'était parce qu'elle estimait que la majorité de ses connaissances, y compris certaines de ses amies, étaient trop superficielles. D'ailleurs, elles n'étaient jamais là quand elle avait besoin d'elles.

Elle comprenait bien que les gens aient leurs obligations, mais elle était prête à tout lâcher pour un enfant malade ou si une amie lui demandait son aide. Je suis pareille, et c'est pour cela que nous nous entendions si bien. Un jour, je fus appelée par une dame qui me déclara que son bébé avait les lèvres bleutées. Je me précipitai, pratiquai quelques manipulations et le bébé se mit à vomir. L'enfant eut la vie sauve : nous apprîmes par la suite qu'il était allergique au lait. La duchesse elle aussi se rendait toujours disponible et Diana racontait avec une respectueuse admiration le jour où elle l'avait accompagnée dans ses tournées d'hôpital : elle avait enfilé un tablier, puis donné son bain à un malade et vidé les bassins sans hésiter une seconde.

– C'était la seule de la famille royale que j'aie jamais vu agir ainsi, souligna Diana. Elle avait l'esprit pratique, comme une infirmière.

D'un rang moins prestigieux, la duchesse n'attirait pas autant l'attention que Diana, mais son esprit indépendant ne passait pas inaperçu dans les cercles royaux. Au début, elle fut étiquetée comme une « excentrique ». Quand elle se convertit au catholicisme, religion interdite dans la famille royale (son beau-frère, le prince Michael, avait été forcé de renoncer à ses droits de succession quand il épousa Marie-Christine), on haussa les sourcils. Puis, lorsqu'elle eut des problèmes de santé, on l'affubla d'un surnom cruel : « Kate la Folle ».

Diana ne participa pas à cette curée.

— Kate est la personne la plus désintéressée que je connaisse, me disait-elle. (Puis, comparant la duchesse et les autres aristocrates :) Ses valeurs sont humanitaires. Les leurs sont matérielles.

Kate se préoccupait des jeunes. Elle se rendait très régulièrement dans un lotissement délabré de Humberside, pour constater la délinquance juvénile engendrée par la pauvreté. C'était un domaine qui intéressait Diana. Elle adorait les enfants et avait des dessins aux murs de son dressing et de sa salle de bains. Plusieurs étaient de William et Harry, lorsqu'ils étaient petits, et elle en était très fière. L'un d'eux était une aquarelle montrant une maison bleu vif, maman devant, toute maigre avec des cheveux jaune vif, et un papa souriant auprès d'elle, rappelant de façon poignante les jours heureux de Charles et Diana. Tous les jours, elle recevait des dessins d'enfants du monde entier. Elle ne les jetait pas : ils étaient soigneusement rangés, certains encadrés ou mis sous verre.

Certains de ces dessins lui furent offerts par les enfants de l'hôpital pour enfants malades de Londres. Elle adorait s'y rendre et prenait grand soin de sa tenue en prévoyant par exemple un pendentif avec lequel ils pouvaient jouer. Elle s'accroupissait toujours pour parler aux enfants, afin de pouvoir les regarder dans les yeux. Elle voulait briser la barrière invisible qui l'entourait. On oublie très vite son admiration et son respect pour une personnalité lorsqu'elle vous tient la main ou pose sa joue contre la vôtre. Cela permettait à Diana de si bien réussir à transmettre son énergie positive aux petits qu'elle prenait dans ses bras.

En revenant, elle me parlait des cas qui l'avaient le plus intéressée. Je l'écoutais, puis, une fois qu'elle avait décrit une situation, lui formulais mes suggestions. Si c'était un problème médical, nous réfléchissions pour tenter de trouver une solution. Quand quelque chose la préoccupait terriblement, elle s'efforçait de trouver le meilleur spécialiste dans le domaine, comme sir Magdi Yacoub ou le Dr Christian Barnard.

Certaines causes lui tenaient particulièrement à cœur et elle leur consacra toute son attention. La lèpre en est un exemple.

– Quand on lit les livres d'histoire, on s'imagine qu'il n'y a plus de lèpre. Je croyais qu'elle avait disparu, mais ce n'est pas le cas : ils sont quinze millions dans le monde à souffrir de ce mal.

En Indonésie, elle prit ce qui restait de la main d'un lépreux. On voyait très bien les photographes se crisper à l'idée qu'elle allait être contaminée à son tour. Mais Diana était bien informée : la lèpre ne peut se contracter au premier contact et la médecine moderne sait la soigner. L'image fit toutes les unes du monde. Comme le remarqua le révérend Tony Lloyd, l'un des directeurs de la Mission lèpre : « En une minute, vous avez fait plus pour éduquer le grand public que nous en cent vingt ans ».

Le sida était similaire à la lèpre en ce sens qu'il suscitait les mêmes craintes imaginaires. Dans leur ignorance, bon nombre de gens pensaient (et c'est encore d'actualité) qu'un simple contact peut contaminer : l'être humain réagit ainsi aux terreurs qui dépassent son entendement.

Diana se fit un devoir de dissiper ces craintes. Lorsqu'elle effectua une visite en Amérique, en 1989, elle insista pour se rendre dans l'hôpital de Harlem, à New York, où elle fut photographiée avec un petit malade dans les bras. Le lendemain, le *New York Times* publiait en première page un article attaquant les responsables politiques de Washington en s'étonnant qu'une princesse anglaise vienne attirer l'attention sur un problème américain. Les efforts de Diana portaient leurs fruits et cela l'encouragea à les poursuivre. Revenue en Grande-Bretagne, elle alla visiter des malades du sida, mettant un point d'honneur à plaisanter et à sourire avec eux comme à les toucher. C'est largement grâce à ses efforts que ces malades purent être mieux compris et que leur situation fut considérée avec davantage de compassion.

Le 11 décembre 1995, sept jours avant qu'elle eût reçu la lettre de la reine lui ordonnant de divorcer au plus vite, ses efforts lui valurent d'être désignée Humanitaire de l'année, récompense qui lui fut décernée par Henry Kissinger lors d'un dîner au Hilton de New York. Dans son discours de remerciements, Diana déclara :

— Un peu de bonté, c'est tout ce dont ce triste monde a besoin.

C'était un grand honneur, mais Diana me déclara avec la plus grande humilité qu'elle ne le méritait pas. Pour elle, agir comme elle le faisait n'était pas un exploit en soi. La véritable réussite arrivait lorsqu'une situation était améliorée.

En juillet de l'année suivante, elle annonça qu'elle renonçait à presque une centaine de ses œuvres pour ne se concentrer que sur six d'entre elles : le Royal Marsden Hospital, l'hôpital pour les enfants malades, le Ballet national anglais, le foyer pour sans-abri de Centrepoint, la Mission lèpre et la Fondation nationale contre le sida.

Elle réfléchit mûrement et longuement afin de réduire ses engagements. Nous en parlâmes pendant des mois après que je lui eus dit qu'une grande partie des dons n'arrivaient pas à leurs destinataires. Elle l'ignorait, et évidemment, étant Diana, prit cette information à cœur. Elle demanda à toutes ses œuvres un détail de leurs comptes. En découvrant combien d'argent était absorbé par l'« administration », elle se fâcha.

— Certaines de ces œuvres se contentent simplement d'encaisser de l'argent grâce à mon nom.

Cela ne diminua pas sa détermination à faire tout son possible pour aider ceux qui avaient besoin d'elle. Son attention fut attirée par la maltraitance et la prostitution forcée des enfants en Asie. Nous avions toutes les deux vu une émission à ce sujet. Diana me déclara qu'elle voulait tout tenter pour mettre un terme à cette exploitation sordide. Ce fut l'un de ses derniers vœux et elle ne put l'exaucer. Elle n'avait pas encore échafaudé de stratégie, mais elle aurait réussi, je n'en doute pas un instant. Quand Diana s'emparait d'une mission, rien ne pouvait l'arrêter. Comme elle le disait elle-même :

— Puisque j'ai du pouvoir, je me dois de l'utiliser.

– 14 –

FERGIE

Diana n'avait qu'une seule amie dans l'univers replié de la famille royale : sa belle-sœur, Sarah Ferguson.

Comme on leur faisait sentir à toutes deux qu'elles étaient des pièces rapportées, il n'était que naturel qu'elles se soutiennent mutuellement. Elles bavardaient ensemble, échangeaient ragots et secrets, médisaient de leur belle-famille, préparaient des mauvais coups et échafaudaient des complots. Au bout du compte, Fergie et Diana finirent par dépendre l'une de l'autre.

Le style flamboyant et les tenues excentriques valurent à Fergie bien des semonces, mais Diana l'appuyait toujours. Elle admirait ses longs cheveux roux et bouclés, ne cessait de répéter que c'était une femme « séduisante » et balayait chaque critique à son endroit d'un : « Ils ne la connaissent pas. »

En dépit de leurs différences de caractère, elles étaient pareilles à deux sœurs. D'après ce que m'a raconté Diana et ce que j'ai pu moi-même observer, elles avaient une approche de la vie très différente. Fergie montrait envers le sexe une espèce de désinvolture que Diana ne parvint pas à imiter.

Ce fut la duchesse d'York qui prodigua à la princesse de Galles des conseils pour essayer de raviver un peu la flamme de son mariage. Fergie flirtait sans trop se soucier des conséquences ou de l'image qu'elle renvoyait.

Diana quant à elle était, on l'a vu, en perpétuelle recherche d'une relation durable. Pour elle, les affaires de cœur représentaient un investissement affectif et cela la mena à des relations parfois regrettables. Fergie, en revanche, était sensuelle et spontanée. Diana me racontait qu'elle l'enviait d'être en mesure de coucher pour coucher, sans devoir d'abord se convaincre qu'elle était amoureuse de son partenaire.

Diana admirait l'esprit rebelle de Fergie, son indifférence envers le qu'en-dira-t-on et sa capacité d'agir sans éprouver la moindre culpabilité. La duchesse allait apprendre à ses dépens que l'opinion des autres compte vraiment ; en attendant, lorsqu'elles étaient encore membres de la « firme », c'était Sarah qui suivait ses impulsions comme jamais Diana n'en fut capable. Diana possédait un vernis de raffinement que Fergie, avec sa conversation pleine de verve, d'humour salace et de détails explicites, ne prit pas la peine de copier. Ces contrastes les amusaient beaucoup et chacune prisait la compagnie de l'autre. Toutefois, elles finirent par entretenir une relation d'amour-haine qui suscita beaucoup de jalousies, notamment de la part de Fergie. Elle enviait à Diana son allure, sa silhouette racée, sa popularité et le fait que les hommes la trouvaient plus séduisante.

Fergie s'enticha de John Kennedy Jr, mais ce fut Diana qui l'eut. La duchesse d'York porta également son dévolu sur l'acteur Kevin Costner et se jeta sur lui quand ils furent présentés, mais, de nouveau, Diana la coiffa au poteau. Costner repoussa les avances de Fergie et préféra solliciter la princesse pour lui proposer un rôle dans *Bodyguard II*. Diana refusa, mais cela n'apaisa pas la duchesse. Elle avait l'impression d'être le faire-valoir de Diana et c'était certainement vrai du point de vue du public, de la famille royale et de célébrités comme Costner. En privé, c'était une tout autre affaire, et Fergie rattrapait son retard en incarnant la dominatrice volontaire, et, quand l'occasion se présentait, en administrant quelques coups de griffe à sa belle-sœur.

Voilà pourquoi, au cours des six derniers mois de sa vie, Diana refusa d'adresser la parole à Fergie. Je sais que cela blessa beaucoup la duchesse, qui déclarait :

— J'aurais tellement aimé que nous nous revoyions et que nous retrouvions notre complicité d'autrefois !

Ces querelles étaient très normales pour Diana. Elle se fâchait avec tout le monde à un moment ou à un autre, y compris avec Rosa Monckton, qu'elle soupçonna, à tort, de l'épier pour le compte du gouvernement quand elle militait pour l'abolition des mines antipersonnel. Son amitié avec son ancienne colocataire Carolyn Bartholomew connut aussi des hauts et des bas. Mais ces brouilles se dissipaient d'elles-mêmes. Après une période de froid, Diana rappelait soudain et se mettait à parler comme si de rien n'était. Je suis sûre qu'avec le temps elle se serait réconciliée avec Fergie.

Comme le notait la duchesse avec une pointe de tristesse, elles se connaissaient avant d'épouser leurs princes respectifs et leur amitié les avait aidées à traverser les moments les plus difficiles.

Durant leurs mariages, et notamment vers la fin, toutes deux s'étaient retrouvées alliées contre leur beau-père, le prince Philip, qui coucha son fiel par écrit à maintes reprises. Il avait un caractère méchant, une langue bien pendue, et il suggéra un jour que Diana et Sarah soient enfermées « chez les dingues » — propos extraordinairement cruel, étant donné qu'il était tout jeune lorsque sa propre mère, la princesse Alice, avait été internée pendant deux ans dans une clinique privée.

Nous parlions souvent de son attitude envers elles. Selon Diana, le prince Philip considérait Sarah comme une roulure, et la princesse de Galles ne valait guère mieux. Quand on doit affronter un beau-père de cette trempe, mieux avoir des amies.

Elles détestaient également l'une et l'autre la reine mère, dont le snobisme et l'indifférence avaient contribué à faire d'elles des parias à la cour.

— Elle ne s'intéresse qu'aux gens importants, expliquait Diana.

Étant le fils cadet, le prince Harry avait à peine droit à sa considération, et Fergie figurait la cinquième roue du carrosse royal, Diana faisant office de boulet, une fois qu'elle fut divorcée de Charles. Pour la reine mère, c'était la monarchie qui comptait, pas les sentiments des individus qui composaient l'élément vivant de cette institution censée incarner la famille anglaise modèle. Les deux jeunes femmes en vinrent à la détester. Elles se vengeaient en l'appelant au beau milieu de la nuit sur la ligne privée de sa chambre et raccrochaient sans un mot avant d'éclater de rire. C'était stupide et inconsidéré, mais elles trouvaient cela hilarant. Manière pour elle, de prendre une revanche sur une femme qui leur avait rendu la vie infernale.

Un jour, Diana et Sarah convinrent de divorcer en même temps. Or la première n'avait jamais vraiment voulu se séparer de son mari, aussi se rétracta-t-elle très vite. Fergie lui tint rigueur de ne pas avoir respecté leur pacte, mais ce n'avait été qu'une idée idiote jetée en l'air. Diana était assez fine pour sentir qu'en cas de bataille ce serait la famille royale qui vaincrait, et, après que Fergie eut quitté le prince Andrew, elle se trouva ostracisée sans ménagement.

Selon Diana, son départ se passa curieusement. À l'époque courait une rumeur infondée selon laquelle il y aurait eu quelque chose entre le prince Andrew et l'un de ses valets. Diana aimait beaucoup Andrew et pensait que le mariage des York durerait. Elle fut donc stupéfaite quand elle entendit cette calomnie. Diana gardait des cassettes de ses entretiens dans le premier tiroir de son bureau, sous un plateau coulissant, à gauche. Elle en possédait un bon nombre et elle me passa celle qu'elle avait enregistrée avec George Smith, un domestique des Galles qui déclarait qu'il avait été violé à deux reprises par un membre du personnel du prince Charles. Les déclarations de Smith étaient assez incohérentes et il parlait d'une voix basse et pâteuse. Diana fut ébranlée par son récit, toutefois dénué de détails circonstanciés. Smith rapportait également des commérages sur d'autres membres de la famille royale, ce que Diana trouva très amusant. Elle réalisa une autre cassette avec lui, mais sa version ayant légèrement changé entre-temps, les avocats à qui elle passa la bande lui assurèrent qu'ils n'y trouveraient pas matière à soutenir une instruction, toute affaire de viol exigeant le dépôt d'une plainte auprès de la police. Diana se plaisait à se voir en pourfendeuse des injustices et elle enregistrait les doléances de son personnel afin de lui témoigner son attention. Puis elle donnait quelques conseils à la personne qui s'était confiée à elle après avoir consulté ses avocats.

Sarah nia énergiquement que son mari ait pu être mêlé à quoi que ce soit de ce genre, mais l'idée seule suffit à inquiéter Diana, qui jugea que l'homosexualité supposée d'Andrew risquait de dérober à Fergie le peu de confiance qu'elle avait dans sa féminité.

Le tracas de la princesse de Galles était fondé. Sous sa façade exubérante, Sarah était fragile. Elle n'était pas aussi vulnérable que Diana au plan émotionnel, et elle prit son rejet de la famille royale bien mieux que la princesse, mais les termes du divorce qu'on lui imposa la plongèrent dans le désarroi. Dans l'esprit de Diana, Fergie s'était fait duper. Cependant, on l'autorisait à exercer une activité professionnelle, ce qui ne serait pas le cas pour Diana. Cela valait d'ailleurs mieux, car, si on lui avait refusé la permission de gagner sa vie, elle se serait retrouvée sans le sou encore plus rapidement que son ex-belle-sœur.

Selon Diana, la majeure partie de la somme que Sarah reçut était bloquée dans des fonds d'investissement et elle n'eut droit qu'à 250 000 livres (environ 380 000 euros) en liquide, qu'elle laissa filer comme du sable entre ses doigts. Diana ne fut pas étonnée outre mesure quand Fergie contracta des dettes énormes (elles culminèrent notamment à 4 millions de livres, soit environ 6 millions d'euros), car elle était très généreuse. Diana répétait que, si Fergie n'avait pas autant donné à droite et à gauche, elle ne se serait jamais trouvée dans une situation financière aussi périlleuse.

À Noël, la limite que se fixait Diana pour les cadeaux à ses filleuls était de 50 livres (environ 75 euros) chacun, et ils étaient très nombreux. Fergie oubliait toute prudence financière, faisait des folies et achetait les cadeaux les plus extravagants. Par exemple, une année, elle offrit au prince William une lunette de vision nocturne pour son fusil qui lui coûta 4 000 livres (soit environ 6 000 euros). Elle agissait de même avec les œuvres de bienfaisance qu'elle soutenait de sa poche. Quand des amis et même des gens ordinaires qu'elle connaissait à peine avaient des ennuis, elle les remettait à flot, sans songer aux dégâts qu'elle causait à un compte en banque déjà éprouvé. On ne lui reconnut jamais ce mérite, car elle agissait en toute discrétion.

Cette largesse forçait le respect de Diana, qui me confia qu'elle espérait que Fergie réussirait dans la vie et épouserait un homme fortuné, ou, mieux encore, qu'elle gagnerait elle-même beaucoup d'argent et finirait milliardaire pour pouvoir « river son clou », comme elle disait, à la famille royale – au prince Philip et à la reine mère en particulier. Elle avait de la peine pour Fergie et estimait scandaleux que la Couronne ait laissé s'endetter cette jeune maman de deux fillettes sans lui proposer de l'aide.

– Ils se vengent, concluait Diana.

Fergie portait tout de même une part de responsabilité dans sa chute. Comme le fit observer le père de Diana, lord Spencer :

– Ce n'est pas une vraie princesse, elle est trop du genre « claque sur les fesses ».

Sa liaison avec son prétendu « conseiller financier » John Bryan lui coûta très cher, suite à la parution dans la presse de ses photos de vacances dans le sud de la France : Fergie les seins nus, sur une chaise longue, avec Bryan en train de lui lécher les orteils. Par manque de chance, le scandale éclata alors que Sarah séjournait à Balmoral, où s'était réunie toute la « firme » : la reine et le prince Philip, Charles, Anne, Andrew, Edward, la princesse Margaret et sa fille, lady Sarah Armstrong-Jones.

Pendant que le reste de la famille feuilletait les journaux, Fergie se réfugia dans la chambre de Diana.

– Elle n'a pas dit un mot, racontait-elle. Elle était là, tout simplement, elle me soutenait et c'était suffisant.

Diana ne voyait pas les frasques de Sarah d'un œil aussi indulgent. Comme elle me l'expliqua plus tard, elle trouva l'incident du léchage d'orteils « très vulgaire : mais comment a-t-elle pu se laisser prendre ainsi ? ». Diana ne critiqua jamais le goût de Fergie pour des hommes souvent fort peu convenables, mais se faire photographier à demi nue avec l'un d'eux, face à la caméra, heurta son sens de la bienséance.

Fergie resta encore trois jours à Balmoral, à avaler du Valium et à supporter les regards accusateurs, les silences méprisants et les crises de colère de la reine. Pourtant, même au cœur de ce tumulte, Fergie ne garda pas la vedette bien longtemps. Diana avait un jour fait remarquer à la meute des photographes qui la suivaient partout :

— Vous n'avez plus besoin de moi, maintenant que vous avez Fergie.

C'était inexact. Diana était la star, Fergie le second rôle, et, le dimanche où elle quitta le château, ce fut Diana qui occupa les manchettes, cette fois avec la diffusion des extraits de la cassette du Squidgygate. Mais elle était la mère du futur roi et cela lui garantissait une protection dont Fergie ne bénéficia jamais. Diana me raconta que l'atmosphère à l'intérieur du château était encore plus glaciale que le temps dehors, mais que ce fut Fergie qui continua à subir la réprobation générale. La princesse Margaret consigna les sentiments des siens dans une lettre : « Vous avez plus fait pour apporter la honte sur cette famille que vous ne sauriez l'imaginer. Pas une seule fois, pas une minute, vous n'avez baissé la tête pour témoigner de votre gêne devant ces photographies infamantes. Il est évident que vous n'avez pas pris la mesure du tort que vous nous causez à tous. Comment osez-vous ainsi nous discréditer ? »

Cette hypocrisie de sainte-nitouche mit Fergie en fureur. Elle se souvenait ainsi de son départ du château :

— J'ai regardé toute l'assemblée et j'ai songé : « Enfin, grâce à Dieu, c'en est fini de vous tous. »

Il y avait une certaine vérité là-dedans. La reine s'était toujours montrée au-delà de tout reproche, mais ce n'était certainement pas le cas d'autres Windsor, comme le soulignait souvent Diana. La princesse Margaret était mal placée pour jouer les moralisatrices, elle qui s'était offert une kyrielle d'amants — dont l'acteur Peter Sellers, Robin Douglas-Home et son petit favori, Roddy Llewellyn. Le prince Charles avait une maîtresse. La vie sexuelle du prince Edward était le sujet de ragots sans fin, et Diana épiloguait sans cesse sur les nombreuses liaisons qu'on attribuait au prince Philip.

— Il a eu une kyrielle de femmes, gloussait-elle, sous-entendant qu'il avait peut-être une deuxième famille cachée quelque part.

La rumeur resurgissait régulièrement dans la bonne société londonienne depuis soixante ans, mais Diana ne fournit jamais la moindre preuve de cette allégation. Qu'elle ose en faire état indiquait combien les relations entre la princesse et son beau-père s'étaient dégradées.

Malgré ces scandales, la disgrâce de Fergie avait été spectaculaire et Diana ne manqua pas de lui rappeler les circonstances de sa chute. Si elle n'avait pas exprimé sa réprobation à Fergie durant cette semaine atroce à Balmoral, elle ne cessa par la suite de la taquiner sur l'embarrassant épisode du léchage d'orteils. Fergie, qui se sentait déjà traquée et mal à l'aise, n'appréciait guère, et elle était encore plus vexée lorsque Diana l'asticotait sur sa corpulence.

Quand elles descendaient ensemble dans le sud de la France, où elles séjournaient dans la villa de l'ex-amant de Fergie, le constructeur automobile Paddy McNally, les deux jeunes femmes faisaient bombance. La différence, c'est que Diana avait réussi à maîtriser ses troubles alimentaires et était capable de se refréner, tandis que Fergie continuait de s'empiffrer, ce qui n'aboutit qu'à augmenter ses problèmes de poids. Diana la trouvait toujours séduisante, mais elle se demandait comment une femme naturellement aussi belle pouvait se laisser aller à l'obésité.

– C'est d'ordre affectif ? me demanda-t-elle.

Elle s'était renseignée et avait conclu que les femmes obèses souffraient de leurs relations passées. Bien sûr, la cause était en effet d'ordre affectif. Diana savait que Fergie n'avait jamais digéré que sa mère ait déserté le domicile conjugal ni que son père s'intéresse aux filles plus jeunes – ce qui devint évident quand il fut surpris dans un salon de massage. Cela lui coûta d'ailleurs son poste de directeur de l'équipe de polo du prince de Galles et causa une grande honte à Fergie. Pour ne rien arranger, celle-ci ressassait toujours le douloureux souvenir d'avoir été plaquée par McNally. Pour Diana, Fergie se faisait grossir « pour que les hommes ne la trouvent pas séduisante. Elle essayait de se protéger pour ne plus souffrir. ».

Dans l'espoir de l'aider à affiner sa silhouette, Diana l'initia aux lavements, auxquels Sarah s'adonna à la clinique Hale alors qu'elle attendait la princesse Eugenie, qui naquit en 1990. En revanche, la princesse désapprouvait fermement sa consommation effrénée de pilules amaigrissantes : elle devinait même quand Fergie en prenait, car cela altérait son comportement.

Diana l'aimait quand elle était normale, dynamique, joviale, et disait que, sous l'effet de ces pilules, « c'était comme de parler à une tout autre personne ».

Diana la pressa ensuite de suivre un régime naturel et, à sa grande joie, Fergie lui obéit. Mais elle la critiqua sans ménagement quand Sarah mit également ses filles au régime. Diana s'était abondamment documentée pour observer une alimentation saine et cela l'agaçait que sa belle-sœur oblige Beatrice et Eugenie à faire un régime : pour elle, les deux filles finiraient par faire un complexe – et devenir obèses. Diana trouvait injuste que Fergie impose ses problèmes à ses deux filles, et l'avisa de bien réfléchir aux retombées probables.

Fergie n'en eut cure mais, d'après ce que racontèrent les filles à Diana (et qu'elle me rapporta), c'était une mère très exigeante. En grandissant, Beatrice et Eugenie en eurent assez de s'habiller à l'identique car, comme elles le faisaient remarquer, elles étaient différentes, mais la duchesse avait des idées bien arrêtées, et ni les enfants ni Diana n'avaient de prise sur elle. Ces divergences d'opinion n'affectaient pas encore leur amitié et leurs enfants s'entendaient très bien. Diana choisit même pour carte de vœux de Noël une photo prise par Sarah des quatre cousins.

– Ils représentent l'avenir, expliquait-elle.

Diana fut outrée par les passages que Fergie lui consacra dans son autobiographie intitulée *Mon histoire.* Quelques phrases notamment l'indignèrent : « Lorsque j'habitais à Clapham, Diana m'aida en me donnant toutes ses chaussures (et, ce qui est moins agréable, toutes ses verrues) : nous faisions la même taille. »

240

— Je n'ai jamais eu de verrues ! pesta Diana.

Et la princesse de préciser qu'elles ne faisaient pas la même taille, qu'elle avait de plus grands pieds que Sarah et qu'elle ne lui avait donné qu'une seule paire de chaussures, jamais portées, parce qu'elles étaient trop petites pour elle.

Cette situation déjà tendue empira par l'empressement manifeste que Fergie mettait à parler de la princesse au cours d'une tournée promotionnelle sur les télévisions américaines. À son retour à Londres quelques jours plus tard, Diana l'appela devant moi et lui déclara :

— C'est ton livre que tu promeus, ta vie, tout ce que tu as fait, et c'est très bien. Mais je te prie de ne pas t'exprimer sur mon compte à la télévision. Ce n'est pas la première fois que je te le demande. Ne recommence pas.

Mais Fergie continua. Paul Burrell rapporta ses propos à Diana, qui enragea.

— Je ne lui adresserai plus la parole, décida-t-elle.

Elle refusa de la prendre au téléphone, se débarrassa du mobile sur lequel Fergie l'appelait, et coupa tout contact avec sa belle-sœur. D'après que je sais, elles ne se reparlèrent qu'une seule fois par la suite.

La duchesse essaya constamment de renouer avec elle et disait :

— Nous nous disputions bêtement, comme toutes les sœurs, mais nous nous raccommodions toujours au bout de six mois.

Cette fois, il n'y eut pas de réconciliation. Six mois plus tard, Diana disparaissait.

– 15 –

COURAGE

Diana aurait considéré que son combat en faveur de la suppression des mines antipersonnel était son principal legs au monde.

Des dizaines de milliers d'hommes, de femmes et d'enfants innocents sont mutilés et tués chaque année par ces armes monstrueuses et aveugles, et son attitude courageuse en vue de leur interdiction a fait prendre conscience au monde entier qu'elles devaient être éradiquées.

Si quelqu'un a jamais éprouvé des doutes au sujet de la sincérité de ses engagements pour le bien-être d'autrui, cette cause ne pouvait que les dissiper. Il fallait quelqu'un de sa renommée et de son envergure pour attirer l'attention de la communauté internationale sur cette question et son travail dans ce domaine exigea un véritable engagement personnel. Elle affronta des dangers physiques et ne recula pas devant le ridicule ni devant les menaces dont elle était l'objet.

Je me trouvais chez elle, dans son boudoir du palais de Kensington, quand elle me fit signe d'approcher avant d'écarter le vieux combiné noir de son oreille pour que je puisse écouter. J'entendis une voix qui lui enjoignait de cesser de se mêler d'affaires auxquelles elle n'entendait rien, et qui passa plusieurs minutes à tenter de la convaincre de renoncer. Diana se contenta surtout d'écouter et j'entendis très clairement l'avertissement suivant :

— Un accident pourrait se produire. On ne sait jamais quand.

Elle blêmit.

À peine eut-elle raccroché que nous discutâmes de ce qu'avait dit son correspondant. Je tentai de la rasséréner, ce qui n'était guère facile, car elle était bouleversée. Elle me déclara qu'elle n'allait pas se laisser intimider, mais, après cet appel, elle comprit qu'il était capital de prendre des précautions. Elle nous donna, à moi et à son amie Elsa Bowker, une copie du dossier *L'Exploitation de la misère*. Je l'emportai chez moi et le cachai sous l'alèse de mon matelas.

Depuis notre rencontre, Diana exprimait des craintes au sujet de sa sécurité. Elle était certaine qu'on la suivait, sûre d'avoir été mise sur écoute et, persuadée que les services secrets britanniques étaient décidés à avoir sa peau. Par moments, elle croyait réellement que sa vie était en danger.

L'incident des freins de sa voiture décupla ses inquiétudes. Il survint en 1995, après qu'elle eut congédié les gardes du corps royaux et alors qu'elle conduisait seule au volant de son Audi dans les rues de Londres. Elle arrivait à un feu qui venait de passer au rouge et elle appuya sur le frein, mais rien ne se passa et la voiture continua sur sa lancée. Quand elle s'arrêta enfin, elle sauta du véhicule, l'abandonna sur place et rentra immédiatement au palais dans un taxi qui n'exigea qu'un autographe en échange de la course. Elle m'appela et affirma : « Quelqu'un a saboté mes freins. » Dans les conversations que nous eûmes par la suite, elle me répétait qu'elle était certaine de mourir jeune et que sa disparition ne serait pas due à des « causes naturelles ».

Après quoi elle écrivit dans une lettre que Paul Burrell parvint à se procurer : « Mon mari est en train de préparer un *accident* de voiture dont je serais victime, une panne du système de freinage qui m'occasionnerait de graves blessures à la tête ; ainsi pour Charles, la voie serait libre et il pourrait se remarier. »

Elle écrivit à ses amies lady Annabel Goldsmith, Lucia Flecha de Lima et Elsa Bowker, ainsi qu'à moi-même. La lettre que je reçus disait : « Les freins de ma voiture ont été sabotés. S'il m'arrive quelque chose, ce sera le MI5 ou le MI6. »

Je pris cela avec beaucoup de distance. À l'époque, en raison des tractations du divorce et des discussions sur l'avenir de William et de Harry, elle absorbait beaucoup de somnifères, substances qui peuvent affecter la mémoire et produire des hallucinations. Je lui conseillai de faire vérifier sa voiture, ce qu'elle fit, et elle apprit que la panne était due à une usure parfaitement normale.

— Ne soyez pas ridicule, lui dis-je. Personne ne vous veut de mal.

Les menaces téléphoniques que j'entendis portèrent un coup à mon insouciance. Ces paroles terrifièrent Diana et m'affolèrent.

Mais elle ne flancha jamais. Elle s'investissait corps et âme dans sa cause.

— Peu importe ce qui m'arrive, répétait-elle souvent. Nous devons agir. Nous ne pouvons laisser ce massacre se prolonger.

Je fus l'une de celles qui encouragèrent Diana à s'engager dans la crise des mines antipersonnel. Tout commença en 1996, quand la guerre civile en Bosnie s'enlisa. J'avais suivi les reportages à la télévision et dans la presse, et noté que les organisations humanitaires qui s'efforçaient d'alléger les souffrances des victimes étaient prises entre deux feux de factions antagonistes. Quand je reçus un coup de fil de mon ami Morris Power, responsable de la Croix-Rouge à Tuzla, petite ville au nord-est de Sarajevo, je lui déclarai que j'étais heureuse qu'ils aient recueilli autant de dons.

Morris était considéré là-bas comme un héros car il transportait les gens sur son dos pour les mettre à l'abri durant les combats. S'occuper des rescapés qu'il avait contribué à sauver se révélait malgré tout extrêmement difficile. Il répondit qu'il ne voyait pas le moindre argent sur place et qu'il était très déçu que l'aide ne soit pas correctement gérée. Les vivres et le soutien logistique n'arrivaient pas et, au final, il n'y avait pas grand-chose de fait. Je lui proposai immédiatement de venir lui prêter main-forte.

— Ne sois pas idiote, répondit-il. Les civils ne sont pas autorisés sur le front.

Je retrouvai Diana ce soir-là chez une amie à Hampstead, et alors que nous sirotions un Perrier sur le balcon dans la chaleur estivale, je lui demandai si elle pouvait me rendre un service.

— Tout ce que vous voudrez, fut sa réponse.

Quand je lui suggérai de m'aider à aller en Bosnie, elle resta stupéfaite.

— Comment ? s'enquit-elle.

Elle était sur le point de renoncer à la plupart de ses œuvres, mais je lui rappelai qu'elle était encore présidente de la Croix-Rouge anglaise.

— Oh, mais oui, gloussa-t-elle. J'avais oublié !

Je lui rapportai les propos de Morris et, à la fin de la soirée, nous repartîmes chacune de notre côté — Diana au palais et moi à mon appartement de Hendon, qu'elle qualifiait de « fin fond du bout du monde ». Je me couchai sans plus y penser, mais, le lendemain matin, de très bonne heure, elle m'appela.

— Vous partez pour la Bosnie. On va vous téléphoner.

Ce fut Mike Whitlam, grand ponte de la Croix-Rouge anglaise, qui m'appela. Je précisai bien que je ne demandais pas à la Croix-Rouge de payer quoi que ce soit, mais simplement de me faciliter les choses pour rejoindre Morris. Ce dernier avait promis de venir me chercher à l'aéroport de Zagreb, de l'autre côté de la frontière, en Croatie. Mike accepta de m'assister et ce fut donc sous le patronage de la Croix-Rouge que je pus entreprendre ce voyage.

Je pris le même vol que Paul Boateng, ministre de l'Intérieur du gouvernement de Tony Blair, qui était en mission d'information, et nous discutâmes brièvement mais courtoisement à l'aéroport. Mon arrivée à Zagreb fut nettement moins plaisante. Morris m'avait réservé dans un hôtel une chambre qu'on me promettait haut de gamme. Malheureusement, la Croatie avait collaborée avec les Allemands durant la Seconde Guerre et, lorsqu'on vit les étoiles de David de mes boucles d'oreille, on me conduisit dans ce que je ne peux décrire que comme un trou à rats. Nous nous plaignîmes à la réception. Je me fâchai (je suis susceptible) et les traitai de nazis. On appela le directeur et j'eus droit à une chambre convenable.

Tout cela avait été fort désagréable et je fus heureuse de partir, même si Morris choisit de venir me chercher à 5 h 30 le lendemain matin pour me faire passer la frontière avec la Bosnie. Les environs étaient spectaculaires. C'était une région rude et montagneuse où presque tout avait été bombardé et déserté. Nous passâmes auprès d'une épave d'avion abandonnée et je dus me répéter pour y croire que nous étions toujours dans l'Europe de la fin du XXIe siècle.

Nous fîmes halte dans une maison bombardée où nous trouvâmes un couple de frêles vieillards qui gisaient sur le plancher. Ils n'avaient ni lits ni couvertures, et se levèrent pour nous accueillir et préparer une tasse du café que Morris leur avait apporté. Je n'aime pas le café, mais je ne pus refuser ce que ces gens, qui ne possédaient rien, étaient prêts à partager. Je me mis à pleurer quand Morris expliqua que c'était l'une des maisons qui auraient dû être réparées après les bombardements si l'argent était arrivé. C'était un exemple de la gabegie qui régnait et j'étais atterrée.

On ne faisait presque rien, car l'aide ne parvenait pas à destination.

Nous partîmes pour Tuzla, où je pris une douche sous un filet d'eau. Je ne pus en revanche obtenir d'eau minérale et je dus me contenter de boissons gazeuses, que je déteste, mais qui semblent toujours très faciles à se procurer dans les pays en guerre. Comment se fait-il, me demandai-je, que Pepsi et Coca se fraient un chemin jusqu'ici mais pas les rations alimentaires ou l'aide médicale ? Je me liai d'amitié avec la femme de ménage de la maison où je logeais et, en dépit du fait que nous ne parlions pas la même langue et devions nous exprimer par gestes et mimiques, elle m'expliqua que, comme il n'y avait rien à manger dans les magasins, les gens devaient se contenter de ce qu'ils faisaient pousser eux-mêmes. Ce soir-là, nous évoquâmes ces difficultés avec quelques bénévoles des Nations unies et d'ONG au cours d'un dîner frugal dans un café local ; à les entendre, je ne pus réfréner mes larmes.

Au cours des jours suivants, je sortis et constatai moi-même ce qui arrivait dans ce pays ravagé par la guerre. Je rencontrai beaucoup de personnes âgées qui avaient perdu tous leurs biens et, dans le village de Zenica, une jeune femme qui avait perdu encore davantage.

Elle avait été capturée par des soldats serbes à l'âge de seize ans et détenue pendant deux ans. Durant cette période, elle avait été victime de viols collectifs à plusieurs reprises et s'était retrouvée enceinte et obligée d'avorter. Elle avait finalement été sauvée, mais elle n'était plus que l'ombre d'elle-même. Elle restait prostrée, dans un état permanent d'hébétude, et personne ne pouvait plus communiquer avec elle. Je la pris dans mes bras et la fixai des yeux. Elle posa sur moi un regard vide. Elle avait perdu toute capacité d'entrer en contact avec autrui.

Dans un autre village, je rencontrai un homme gisant sur le sol et crachant du sang. On m'expliqua que le médecin de la Croix-Rouge avait diagnostiqué de l'asthme, mais je jugeai que c'était une erreur : ce n'était pas de l'asthme, mais un cancer, car j'avais déjà vu pareils symptômes. Je proposai d'emmener le malade à l'hôpital et promis de payer ses soins, mais il s'avéra extrêmement difficile de régler les formalités. Je me disputai avec Morris et déclarai que je ne partirais pas tant que l'homme ne serait pas à l'hôpital. Il se fâcha tellement qu'il m'entraîna jusqu'à la voiture.

Je n'avais pas l'intention de me laisser faire. Je répétai que je ne partirais pas tant qu'on ne soignerait pas ce malade et, en larmes, je me mis à crier tellement qu'il finit par céder. Il appela la Croix-Rouge en Suisse et leur expliqua le cas, précisant que j'allais payer.

C'était une situation sordide et je dus attendre trois jours que le chauffeur de Morris vienne un matin à 6 heures pour aller chercher le pauvre homme. Mais nous parvînmes à l'amener à l'hôpital et les radios confirmèrent ce que je savais pour l'avoir vécu auprès des membres de ma propre famille : il avait en effet un cancer. Le mal proliférait et le directeur de l'hôpital annonça qu'il n'avait que trois mois à vivre. Mon cœur se serra et mes yeux se remplirent de larmes. Le praticien refusa mon argent et ajouta :

— Au moins, vous allez permettre à cet homme de mourir dans la dignité.

J'aidai à l'installer dans un dortoir où on lui administra de la morphine pour le soulager pendant que je sortais lui acheter un pyjama, des pantoufles et une robe de chambre. Ce n'était pas beaucoup, mais c'était toujours quelque chose.

C'est le lendemain que je vis ma première mine. Nous roulions en direction de Sarajevo quand Morris désigna ce qu'il appelait des « ailes » sur la route. Il s'arrêta.

— Ouvre ta portière très lentement, et surtout ne descends pas, quoi qu'il arrive.

On aurait dit un système d'arrosage de jardin, pas plus de sept centimètres de diamètre, en forme de réacteur.

— Ces ailes, qu'est-ce que c'est ? m'étonnai-je.

— Une mine antipersonnel, répondit-il.

Plus loin sur la route, nous aperçûmes deux très jeunes enfants qui marchaient dans les décombres au bord de la route sans se douter des dangers qui les entouraient. Ils avaient l'air si innocents que je pris d'eux une photo que j'intitulai *L'Image de l'espoir*. Je cherchais n'importe quoi qui puisse me donner un peu d'optimisme dans cet enfer qu'était la Bosnie. Je me rendis dans des villages où se trouvaient nombre de victimes des mines antipersonnel et vis leurs horribles blessures.

Durant mon séjour, je fis transférer la plus grande partie de mes économies sur le compte de Morris pour qu'il puisse acheter des vêtements et des vivres aux gens dont il s'occupait. Jamais l'idée que Diana se mettrait en devoir de les aider ne m'avait effleurée.

Je restai là-bas dix jours et je l'appelai dès mon retour. Elle me demanda de passer immédiatement au palais. Il était tard, j'étais épuisée et je voulais une vraie nuit de sommeil. Je refusai. Le lendemain matin, elle me téléphona de très bonne heure en me priant de lui apporter mes notes et mes photos. Je passai faire développer mes pellicules et me rendis au palais de Kensington.

Diana savait ce que j'avais constaté, car elle m'avait appelée en Bosnie et je le lui avais raconté. Voir les photos et entendre mon récit l'édifia plus encore. Diana et moi étions sur la même longueur d'onde et elle parvenait à imaginer ce que j'avais vécu comme si elle y avait assisté : elle était avec moi chez le vieux couple, chez le cancéreux, avec la jeune fille violée et parmi les mines. Nous finîmes toutes les deux en larmes ce matin-là.

— Les mines antipersonnel ne tuent pas les militaires, lui dis-je. Mais les enfants, les vieillards et les animaux.

— Je peux faire quelque chose, à votre avis ?

— Si vous, vous ne pouvez pas, personne ne peut.

J'étais là lorsqu'elle avait commencé à se désengager de certaines œuvres pour passer de cent dix-huit à juste six. À présent, elle était déterminée à investir ses efforts et son énergie dans des causes où elle pensait avoir une réelle efficacité, et le problème des mines antipersonnel l'avait vraiment émue. Elle me demanda de revenir le lendemain et m'interrogea :

— Savez-vous combien il y a de mines antipersonnel dans le monde ?

Je l'ignorais. Le décompte exact est inconnu. Il y avait en stock plus de trente millions de mines antipersonnel de tous types, et bien davantage, dispersées dans plus de quatre-vingts pays. Diana avait recherché les données et découvert que, chaque année, presque dix mille personnes et animaux étaient tués, et que les blessés se comptaient par milliers. Le fait que, dans ces chiffres, figurent des animaux, les éléphants d'Angola, et des enfants, la bouleversa particulièrement. Elle brandit une liasse de documents et décréta :

— Je vais m'en occuper.

J'étais bouleversée.

— Merci, dis-je. Vous êtes la seule qui en soit capable, et nul n'en a le courage. Je ne vois personne de votre statut affronter ces horreurs. Vous devez le faire.

Elle décida que le pays le plus touché étant le Cambodge, c'était là qu'elle se rendrait en premier lieu. Elle était très déterminée, mais, comme le stipulaient les conditions de son divorce, elle devait solliciter une autorisation officielle pour effectuer un tel voyage, et le gouvernement rejeta sa demande en raison des risques d'enlèvement. Je reconnus le bien-fondé du refus : Diana kidnappée n'aurait pas servi à grand-chose.

C'est alors qu'elle résolut d'aller en Angola, terre dévastée par vingt ans de guerres et jonchée de plus de douze millions de mines. Elle avait pourtant bien d'autres préoccupations à l'époque. Son divorce serait bientôt prononcé officiellement, elle commençait à fréquenter Hasnat Khan et sa famille, elle devait partir en Australie pour l'ouverture de l'institut Victor Chang, deux voyages étaient prévus aux États-Unis, mais une fois qu'elle avait décidé quelque chose, elle n'en démordait pas. Je l'avais informée en juillet et, dès le mois de janvier suivant, elle lançait sa croisade.

Une fois que le gouvernement, non sans rechigner, lui eut accordé la permission, je la mis en garde :

— Vous devez aller là-bas pour dénoncer les souffrances des gens. Vous ne pouvez pas jouer les icônes de mode. Portez un jean et un tee-shirt.

Elle accepta, mais, avec Diana, il fallait que ce soit couture. De son expédition dans les magasins, elle revint avec des jeans Armani, des pantalons de toile et des polos de chez Ralph Lauren, et des mocassins Todd's. Elle y joignit une robe qu'elle avait déjà beaucoup portée.

Une fois sur place, elle m'appela dès qu'elle le put depuis la résidence du gouverneur. Je me souviens encore du numéro, car je lui téléphonai plusieurs fois aussi. Elle s'annonçait toujours ainsi :

— L'Angola appelle Hendon.

Ce ne fut pas un voyage d'agrément... Elle eut beaucoup de mal à affronter le spectacle des enfants mutilés dans les hôpitaux. Elle éprouvait leur détresse comme peu de gens en sont capables. À cela s'ajoutait le fait qu'elle ne supportait pas le pool de reporters qui l'accompagnait et qu'elle trouvait trop envahissant. Ils cherchaient seulement à obtenir des gros plans d'elle avec des enfants mutilés en proie à d'intenses souffrances.

— Comment peut-on avoir aussi peu de cœur ?
s'énervait-elle

Je lui fis remarquer que, si elle n'avait pas été là-bas,
ils n'y seraient probablement jamais allés non plus.
Elle avait besoin des médias pour alerter l'opinion. Elle
finit par l'admettre et paya de sa personne pour
recueillir des fonds finançant l'achat de prothèses dont
les victimes des mines avaient tant besoin.

Le jour où elle traversa un champ de mines, elle
m'appela un peu avant et me demanda :

— Vous pouvez prier pour moi ? Ils ont déminé le plus
possible, mais on m'a dit qu'il en restait peut-être encore.

Le Halo Trust avait proposé cette initiative afin d'envoyer un message sans équivoque au monde entier ;
a posteriori, c'était une bonne idée, car c'est la photo
dont tout le monde se souvient. Elle accepta, ce qui
était très courageux de sa part, sa sécurité ne pouvant
être garantie. En faisant le premier pas, elle songea :
« Je dois être folle. »

Mike Whitlam, de la Croix-Rouge, était tout aussi
mal à l'aise. Un ouvrier du Halo Trust venait de perdre
une jambe dans une zone supposée déjà nettoyée et il
avoua que « même si nous marchions dans une zone
déminée pour qu'elle aille faire exploser *elle-même* une
mine, j'étais un peu inquiet, car, vous savez, il en restait
peut-être d'autres. Le poids d'une énorme responsabilité
me pesait sur les épaules, car on me répétait : "Ça
repose sur toi" ».

Mais Diana continua d'avancer. Elle m'appela pour
me confier :

— J'avais le cœur au bord des lèvres à chaque pas, je serrais les dents, et je n'ai jamais fait autant attention en posant les pieds, car je savais que la plus infime pression peut déclencher une mine : le moindre de mes pas pouvait être le dernier. Mais il fallait que je le fasse.

Bien que confrontée à de tels dangers, elle ne perdait jamais son sens de l'humour et était capable de plaisanter. Elle faisait également l'effort d'être élégante. Burrell l'avait coiffée le matin de la traversée du champ de mines. Pourquoi pas, après tout ? Les photographes s'attendaient qu'elle soit impeccable, et avoir de l'allure ne signifiait pas qu'elle ne se souciait pas de ce qu'elle faisait. Bien au contraire. Elle fut tellement secouée par cette opération et par le spectacle de ces mutilations qu'elle rédigea un chèque de 250 000 livres (environ 380 000 euros) pris sur l'argent de son divorce, à l'ordre des victimes des mines. Elle n'en discuta avec Charles qu'après, et je n'ai jamais su ce qu'il avait pensé de ce voyage, mais je sais que William et Harry étaient enthousiastes. Ils trouvaient qu'ils avaient la maman la plus courageuse du monde et j'étais bien d'accord avec eux.

Ayant joué son rôle, Diana aurait pu s'arrêter là, mais elle souhaita continuer. Elle était agacée que la plupart des prothèses ne soient pas adaptées et estimait scandaleux qu'après avoir autant souffert les victimes soient obligées de porter des membres artificiels inconfortables. Elle fut profondément émue par les souffrances de Sandra Txijica, qui avait perdu une jambe. L'enfant ne comprenait pas ce qui lui était arrivé. Elle n'avait que treize ans et tout ce qu'elle voulait, c'était marcher de nouveau et porter de jolies robes. C'est seulement grâce aux efforts de Diana qu'elle obtint la prothèse dont elle avait besoin.

Diana fut si mortifiée par ce qu'elle avait vu en Angola qu'elle ne se rendit pas compte de l'impact de son geste. Elle répétait au contraire :

— Je ne pourrai jamais en faire assez pour débarrasser la planète de ce fléau.

En août, elle tint à visiter Tuzla, où elle séjourna avec la mère bosniaque de l'ex-petite amie de Morris, Sandra. La maison, construite dans un étrange style germano-hollandais, se dressait sur une colline donnant sur le petit canal qui traverse la ville. J'avais dîné là-bas plusieurs fois et je l'avais recommandée à Diana, car c'était un endroit ni plus ni moins sûr qu'un autre en Bosnie, où les bombardements faisaient rage.

Elle s'y rendit dans le jet privé du milliardaire George Soros, accompagnée de Burrell et de Bill Deedes, et elle fut chaperonnée sur place par Jerry White et Ken Rutherford, deux membres du Landmines Survivors Network (association des survivants des mines antipersonnel), tous deux mutilés par des explosions. Elle suivit le même itinéraire que moi l'année précédente et, bien que son séjour n'ait duré que trois jours, elle réussit malgré tout à rencontrer presque tous les gens que j'avais vus. Elle alla également visiter l'hôpital, où son sens de l'humour remonta le moral des patients.

Elle taquinait Bill Deedes, quatre-vingt-trois ans, ancien rédacteur en chef du *Daily Telegraph*, devenu un éditorialiste distingué :

– Vous prendrez bien un petit gin-tonic ? lui proposa-t-elle en se plantant devant lui.

Lord Deedes, grand compagnon de beuverie du mari de Margaret Thatcher, Denis, était connu pour son penchant pour l'alcool. La princesse lui tendit alors une petite bouteille d'Évian. C'était tout Diana.

Diana adorait faire des blagues et entendre des histoires égrillardes. Elle avait un rire communicatif, et c'est pourquoi elle arrivait même à faire sourire un blessé. Dans le domaine de ses combats humanitaires, elle présentait une extraordinaire maîtrise de soi et ne laissait jamais paraître sa détresse. C'était le plus remarquable chez elle : elle ignorait des blessures atroces dont le spectacle rendait malade n'importe qui, traitait les victimes en toute simplicité, et plaisantait avec elles. Elle les considérait comme des êtres humains et se souciait de leur bien-être. Peu concernée par les politesses diplomatiques et les protocoles royaux, elle s'adressait directement aux victimes sans passer par les politiciens, avec sensibilité et sincérité, ce qui lui valut le respect et l'admiration de millions de gens.

Si c'était un don peu répandu, c'était aussi quelque chose dont d'aucuns prirent ombrage. Car Diana était une femme en croisade, ce qui faisait d'elle un adversaire très redoutable.

Elle se documenta abondamment sur les mines antipersonnel, questionnant les gens sur le terrain, se renseignant auprès des autorités qu'elle avait connues en tant que princesse de Galles, interpellant tous ceux qui avaient des connaissances sur la question.

— Quand on voit quelqu'un qui porte une arme, on sait que c'est un ennemi, disait-elle, mais les mines antipersonnel sont invisibles.

Elle constitua un dossier qui, d'après elle, démontrait que le gouvernement britannique et de nombreuses personnalités de premier plan tiraient profit de la prolifération des mines dans des pays comme l'Angola et la Bosnie. Les noms et les entreprises étaient bien connus. Le dossier était explosif. Et au sommet de la liste des coupables de ce sinistre commerce figuraient les services secrets, le SIS, qui selon elle étaient à l'origine des ventes de mines de fabrication anglaise coupables du malheur des populations.

— Je vais rendre tout cela public et donner des noms, m'affirma-t-elle.

Elle avait l'intention d'intituler ce rapport *L'Exploitation de la misère*.

L'industrie de l'armement britannique, deuxième au monde derrière les États-Unis, représente vingt-cinq pour cent des ventes d'armes mondiales, emploie trois cent quarante-cinq mille personnes et dégage un chiffre d'affaires annuel de 17 milliards de livres (environ 25 milliards d'euros). En se dressant contre cet énorme conglomérat soutenu par le gouvernement, Diana s'attaquait à des gens extrêmement puissants, qui s'en prirent à elle dès son retour d'Angola.

Peter Viggers, député conservateur de Gosport et membre de commission de la Défense de la Chambre des communes, la désavoua pour son appel à l'interdiction des mines, au prétexte qu'elle était « mal informée », et la compara à « Brigitte Bardot et son combat pour les chats. Cela n'apporte pas grand-chose à la somme des connaissances humaines. Et cela ne sert tout simplement à rien d'exhiber des amputés en disant que c'est affreux ».

Des ministres se joignirent à la curée en la traitant d'« ignorante » et d'« électron libre ».

L'attaque la plus virulente vint de Nicholas Soames, ministre d'État des Forces armées. Diana n'avait jamais aimé cet ami de son mari et disait de lui qu'il parlait comme s'il avait « un pénis coincé dans la bouche ». L'antipathie était réciproque. Après l'interview de *Panorama*, il était passé à la télévision pour déclarer que la princesse était « à un stade de paranoïa avancée ». La question des mines antipersonnel rouvrit ces anciennes blessures.

Diana retourna en Bosnie le 11 août. Deux semaines et six jours plus tard, elle trouvait la mort à Paris.

Deux jours après, je pris la grosse enveloppe brune qu'elle m'avait confiée et qui contenait le dossier *L'Exploitation de la misère*, le plaçai dans une grande casserole, versai de l'essence et y mis le feu. Avec des pinces et un couteau, je m'assurai qu'il n'en restait plus rien.

– 16 –

DIANA ET SA COUR

Diana était exubérante en tout, et ce trait de caractère extrême s'appliquait aussi à ses amitiés.

Elle n'entrait pas dans une pièce, elle y explosait littéralement, faisant jaillir autour d'elle sourires, plaisanteries et bonne humeur. À la vue d'une relation, son visage s'éclairait, elle ouvrait tout grand les bras et, le plus souvent, l'étreignait avec chaleur. Même les nouvelles connaissances avaient l'impression d'être de vieux amis.

Rares sont les personnes douées d'un pareil rayonnement, et nous étions tous happés par son charisme. Sa grâce aérienne l'aidait à abattre des montagnes : même ceux qui la critiquaient jusque-là revenaient enchantés après avoir passé ne fût-ce que quelques minutes en sa compagnie.

À chacune de nos entrevues, elle donnait l'impression de m'être reconnaissante du temps que je lui consacrais, et elle témoignait d'un intérêt inlassable pour tout ce que je faisais. La plupart des gens essaient de dissimuler leurs complexes derrière une façade. Diana ne s'encombra jamais de tels subterfuges psychologiques. Elle était ouverte, se souciait de tous, sans affectation, avec la simplicité avenante qui transparaît dans chacune de ses photos. C'est pourquoi je suis certaine qu'elle était heureuse de jouir d'une si grande popularité.

Elle n'était pas pour autant parfaite. Elle était bien trop humaine pour qu'on la mette sur un piédestal. Elle avait ses humeurs et ne voulait qu'entendre la confirmation de ses opinions plutôt qu'une vérité moins agréable. Elle pouvait se montrer capricieuse, était incapable de garder un secret et avait tendance à se fâcher pour des peccadilles. Elle était aussi encline aux petits mensonges. Rien de bien grave, juste de petites bêtises. Par exemple, elle me jura un jour qu'elle ne mangeait pas de viande rouge, alors que je savais très bien que c'était faux, puisque je l'avais vue en consommer.

Mais si c'étaient des défauts, ils étaient bien légers en comparaison des tares de certains de ses parents royaux. Diana n'avait pas besoin des béquilles des privilèges pour vivre. Bien au contraire. Les numéros et la mise en scène du cirque royal l'ennuyaient ou l'irritaient : c'était lorsqu'elle se mêlait aux gens ordinaires, surtout ceux qui avaient besoin de réconfort et d'attention, qu'elle apparaissait sous son meilleur jour.

Personne ne peut vivre dans un vide social, et Diana avait besoin du soutien et de l'encouragement de ses confidents. Elle était très entourée, mais rares étaient ceux auprès de qui elle pouvait s'épancher en confiance. Elle connaissait beaucoup de monde, mais elle avait très peu de vrais amis — trop peu. Le statut de princesse de Galles tendait à effacer l'être humain dans l'esprit de tous.

Malgré tous ses efforts, elle ne pouvait débrancher la princesse comme on éteint une lumière. Elle n'avait jamais pensé que son mariage avec le prince Charles l'éloignerait à ce point du quotidien et elle eut beaucoup de mal à redécouvrir le plaisir simple de donner et de recevoir des confidences. Le prince Philip résuma ainsi l'attitude de la famille royale : « Il est bien moins risqué de se confier à un membre de sa famille qu'à un simple ami. Voyez-vous, on n'est jamais tout à fait sûr. Une petite indiscrétion risque de mener à toutes sortes de difficultés. »

Comme me le fit observer Diana :

— Ils n'ont pas d'amis, juste des alliés. C'est une tribu, et ils ont des instincts tribaux.

Cette triste réalité était cruellement illustrée par la princesse Margaret, qui avait beaucoup soutenu Diana à son arrivée dans la « firme », mais qui se retourna contre elle lorsque Diana refusa de se soumettre à leurs usages surannés. Elles se querellèrent à propos du majordome Harold Brown, que Margaret prit à son service le jour où Diana dut s'en séparer. Quand Diana demanda qu'il rende l'appartement de fonction qu'il occupait au palais de Kensington, Margaret lui tomba dessus à bras raccourcis pour lui rappeler qu'elle n'était pas propriétaire des lieux et donc qu'elle n'en disposait pas à sa guise.

— N'oubliez pas à qui appartient cet appartement, lui dit-elle d'une voix glaciale. Tout comme le vôtre.

Peu après l'interview à *Panorama*, Margaret écrivit à Diana une lettre acerbe dans laquelle elle la taxa de trahison et l'accusa d'être « incapable de consentir le plus infime sacrifice ». Cela irrita Diana, qui s'était imaginé pouvoir toujours compter sur « Margo ». Je lui répondis qu'elle était naïve de croire que Margaret, qui était cent pour cent « royale » – et très superficielle, par-dessus le marché –, la soutiendrait contre sa famille. J'avais raison, car leur amitié fut irrémédiablement rompue, et Margaret rebaptisa Diana l'« idiote ». Diana en conclut que les Windsor ignoraient totalement comment on ménage les amis, si tant est qu'ils en avaient, ce dont elle doutait fortement :

— Ils vous acceptent jusqu'au jour où vous commettez une bêtise. Et là, cela devient « eux contre nous ».

Les membres de la famille royale traitaient à peu près sur un pied d'égalité des parents ou quelques grands aristocrates, mais ils ne leur confiaient jamais le fond de leur pensée. La reine mère se voilait dans sa majesté, le tempérament irascible du prince Philip décourage toute conversation, la reine est d'une discrétion qui frise le mutisme au cas où une opinion viendrait à franchir ses lèvres, tandis que Charles est, selon l'expression de Diana, si « bloqué au stade anal » que même sa femme ne le comprit jamais.

La princesse était bien plus communicative. Elle aimait discuter de tout en toute franchise, et, avec les gens auprès de qui elle se sentait à l'aise, elle partageait les moindres détails de sa vie et offrait sa confiance. Nous composions un assortiment hétéroclite, moi, quelques journalistes et plusieurs vieilles dames dynamiques. Nous étions choisis, non en raison de notre classe ou de notre statut, mais parce que Diana nous appréciait sincèrement. C'est ainsi que nous constituâmes sa petite cour.

Ses amies étaient généralement plus âgées qu'elle, car elle avait vu et vécu bien plus que les femmes de sa génération, ce qui la mettait en marge. Elle adorait converser de choses sans importance, mais pas très longtemps. Elle passait vite à des sujets sérieux et constata qu'elle s'entendait mieux avec ceux qui l'écoutaient avec l'attention que seule confère la sagesse de l'expérience personnelle.

Fergie et lady Cosima Somerset représentèrent des exceptions à cette règle, mais, toutes les cours ayant leurs scandaleuses, elles tombèrent en disgrâce.

La duchesse d'York fut bannie après avoir enfreint la règle tacite de la confidentialité, mais le cas de Cosima fut plus compliqué. Pendant un certain temps, on la vit beaucoup au palais, et elle accompagna Diana au Pakistan lors de sa visite de l'hôpital Imran Khan pour cancéreux, à Lahore. Question affaires de cœur, cependant, « Cosi », deux fois divorcée, née la même année que Diana, se révéla bien trop libertine au goût de la princesse.

Officiellement, elle était la fille du marquis de Londonderry. En réalité, son père était Robin Douglas-Home, pianiste de night-club et neveu de l'ancien Premier ministre sir Alec Douglas-Home. Il avait jadis eu une liaison avec la princesse Margaret, puis en 1967, avait été l'amant de l'épouse de lord Londonderry, Nicolette, qui en avait eu Cosima.

À vingt et un ans, Cosima avait épousé Cosmo Fry, héritier d'une fortune dans les chocolats, et divorcé quasiment dès la fin de leur lune de miel. Elle épousa plus tard le plus jeune fils du duc de Beaufort, lord John, dont elle eut un fils et une fille.

Diana fit sa connaissance à Richmond au domicile de sa tante putative, la sœur de lord Londonderry, lady Annabel Goldsmith, et elles se lièrent d'amitié.

— Nous nous intéressions l'une et l'autre au spirituel et au surnaturel, expliqua Cosima.

Ce ne fut pas une relation facile. Cosima était débordée par ses propres problèmes, dus à un milieu familial pour le moins chaotique. Outre sa liaison avec Douglas-Home, sa mère avait aussi eu une aventure avec Georgie Fame, chanteur de rythm'n'blues des années soixante, et lui avait donné un fils alors qu'elle était toujours mariée. Lorsque lord Londonderry découvrit le pot aux roses, il divorça, le garçon fut déshérité et, bien qu'elle eût épousé Fame, Nico finit par se suicider. L'année suivante, en 1968, Robin Douglas-Home, dont la mère était la grand-tante de Diana, se suicida à son tour. Lorsque tous ces squelettes finirent par sortir du placard, Cosima entreprit une quête identitaire dont elle ne faisait pas mystère.

— Dans tous les moments les plus sombres, elle sentait mon besoin de réconfort sans que j'aie à le lui demander, se souvenait Cosima.

Malgré cette empathie, Diana ne pouvait pas non plus se consacrer entièrement aux affres de cette jeune femme, étant donné qu'elle était elle-même en plein divorce. Elle surnomma Cosima la « reine du Prozac ». Un jour, quand le téléphone sonna à KP, Diana me conseilla de répondre en me faisant passer pour une nouvelle domestique.

— C'est Cosi, lui annonçai-je en masquant le combiné de ma main.

Diana me dit de répondre qu'elle était sortie.

Leur amitié se brisa quand Diana découvrit que, à l'exemple de Nico, Cosima avait une liaison avec le mari de lady Annabel, le financier James Goldsmith. Cosima écrivit plus tard que Diana lui avait « offert une amitié généreuse et entière », mais la princesse n'excusa pas ce qu'elle considérait comme une trahison grossière. En dépit du fait qu'elles n'étaient pas vraiment parentes de sang, Annabel avait toujours traité sa « nièce » avec gentillesse et égards. Elle était la marraine de Cosima et la considérait presque comme sa fille. À la demande de Nicolette, qui ne pouvait s'y résoudre, ce fut Annabel qui, lorsque Cosima avait onze ans, avoua à l'enfant qui était vraiment son père. Le fait que Cosima se soit glissée plus tard dans le lit du mari d'Annabel constituait pour Diana la pire des perfidies.

La faute en revenait également à sir James, coureur de jupons patenté, qui avait un jour remarqué : « Quand je me marierai, la place de maîtresse sera disponible », et qui vivait au vu et au su de tous avec une autre femme lors de ses fréquentes visites à Paris. Diana le vit à déjeuner à plusieurs reprises à Ormeley Lodge, la maison d'Annabel à Ham Common, dans les environs de Londres, où il exigeait que tout le monde reste assis à l'écouter monopoliser la conversation. Il était énergique, immensément riche et, à l'égard des femmes, très insistant. Il était également tout à fait charmant quand il s'en donnait la peine, mais aux yeux de Diana, cela n'excusait nullement la conduite de Cosima, et elle la raya de son existence. Elle était peut-être son « âme sœur », comme le soutenait Cosima, mais Annabel était une amie et c'était plus important.

Diana connaissait Annabel depuis sa plus tendre enfance, et les deux femmes se virent souvent quand elle devint princesse de Galles.

— Le rire, disait Annabel, était un ingrédient essentiel de notre amitié.

Diana devint une habituée des déjeuners dominicaux d'Ormeley, qu'Annabel qualifiait de « chaotiques. Tout le monde se servait et le repas était englouti si vite que Diana nous chronométrait.

« — Bravo, disait-elle, aujourd'hui, le record a été battu : quinze minutes.

« Tout le monde éclatait de rire et se mettait à parler en même temps. Il n'y avait aucune cérémonie chez nous et Diana adorait cela.

« Peu de gens se rendaient compte qu'elle pouvait être aussi amusante. Les invités qui faisaient sa connaissance étaient souvent conquis par son naturel et sa vivacité d'esprit. »

Après le déjeuner, Diana se promenait avec Annabel dans son splendide jardin et bavardait. Elle avait une totale confiance en son hôtesse et s'entendait très bien avec ses enfants, y compris Jemima, qui avait treize ans de moins qu'elle. Elle appréciait de se trouver dans une atmosphère de famille aussi soudée et, quand William et Harry rentraient pour le week-end, elle les emmenait avec elle. Elle était toujours pleine d'entrain à ses retours de Ham Common. Annabel n'était pas très prodigue en conseils, mais elle avait une oreille attentive et Diana aimait parler à quelqu'un qui avait assez vécu pour comprendre ses peines.

Il en était de même d'Elsa Bowker, née en Égypte d'une mère française et d'un père libanais, qui avait épousé un diplomate anglais. Elle tenait le rôle d'une grand-mère auprès de Diana, tandis que Lucia Flecha de Lima, l'épouse de l'ambassadeur du Brésil à Londres, était, selon les dires de la princesse, « la mère que j'aurais voulu avoir ».

Elle fréquenta aussi Rosa Monckton, que lui présenta Lucia : sa fille Beatrice travaillait à Londres pour Tiffany's, dont Rosa était la directrice.

Diana sentit que Rosa n'avait pas été gâtée par l'existence, ayant perdu un bébé et donné naissance à une fille, Domenica, atteinte du syndrome de Down. Cela attira naturellement Diana vers elle. Elle appelait Domenica, dont elle fut la marraine, un « petit cadeau », expliquant :

— Elle peut nous enseigner l'amour, car les enfants atteints du syndrome de Down n'ont aucune inhibition affective.

Dans un élan de compassion, Diana autorisa Rosa à faire inhumer son enfant mort-né dans le jardin du palais de Kensington.

– Diana était à mes côtés et me soutenait constamment, jour et nuit, pendant tous ces moments affreux, se rappela Rosa.

Malgré leur proximité, leur amitié était étrange, car la famille Monckton faisait partie de la bonne société que Diana avait fini par craindre. Le grand-père de Rosa avait été le conseiller d'Édouard VIII au moment où son amour pour Wallis Simpson le força à abdiquer, en 1936. Son frère Anthony est officier supérieur des services secrets britanniques et son mari Dominic Lawson est rédacteur en chef du *Sunday Telegraph.*

C'est en raison de sa suspicion envers ces sphères de pouvoir et à l'égard des services secrets que Diana se méfiait parfois de Rosa.

Contrairement à Diana, prête à tout quitter pour aider un ami, Rosa était de ces gens qui font passer en premier leurs occupations personnelles. Diana demeurait sur ses gardes en sa présence, car elle avait toujours l'impression que Rosa avait autre chose à faire. Mais cela n'altéra pas leurs relations.

Diana sollicitait l'avis de Rosa aussi souvent qu'elle consultait Elsa ou Lucia, sans pour autant faire trop attention à ce qu'elles lui disaient.

– Elle me demandait fréquemment des conseils, mais elle les suivait rarement, avoua Rosa.

L'historien et journaliste Paul Johnson la trouvait lui aussi très têtue.

– Diana m'invitait souvent à déjeuner pour me demander un avis, rapporta-t-il. Je m'exécutais et elle disait : « Je suis tout à fait d'accord. Paul, vous avez vraiment raison. » Puis elle faisait exactement le contraire.

Elle ne suivit pas toujours mes propres recommandations non plus.

— Suivez mon conseil ou pas, lui disais-je. Si vous ne voulez pas, cela vous regarde, mais si cela tourne mal, ne venez pas vous plaindre, vous m'obligeriez à vous répondre que je vous avais prévenue.

Elle opinait, agissait selon son idée, mais elle revenait se lamenter ensuite. Elle était impulsive et parfois mesquine, mais c'était sa personnalité. Tout au long de son mariage, on lui avait dicté sa conduite, au point qu'elle en était arrivée à se dire : « Ça suffit. Dorénavant, j'agirai comme bon me semble. » Elle ne vit pas toujours juste, mais après avoir été tenue en laisse pendant si longtemps, sans doute avait-elle le droit de commettre des erreurs. J'ai admiré la manière dont elle releva le défi – après tant d'années prisonnière du cocon royal, c'en était un –, se libéra et commença à vivre par elle-même.

Pour les questions pratiques concernant son travail humanitaire, Diana acceptait toujours les opinions des professionnels. Le correspondant royal du *Daily Mail* Richard Kay l'aida notamment à formuler par écrit ses pensées. Cet homme de haute taille, aux cheveux bouclés et au teint pâle, avait toujours l'air épuisé. Diana disait qu'il ressemblait à un Richard Gere cadavérique.

Quand je fis la connaissance de Diana, elle était déjà amie avec lui, depuis sa visite au Népal en 1993. Un samedi soir, en 1996, alors que j'étais à KP avec une thérapeute, Ursula, Diana nous annonça qu'elle voulait nous présenter quelqu'un. C'était Richard. Peu après, Ursula alla aux toilettes à côté de la chambre de Diana et appuya sur l'alarme au lieu de l'interrupteur. En quelques secondes, une demi-douzaine de policiers avaient envahi l'appartement. Voyant Richard, l'un d'eux l'avisa :

— Ricardo, que faites-vous là ? Votre nom n'est pas sur la liste.

À l'entrée principale du palais de Kensington se trouve un poste de garde où les visiteurs doivent s'arrêter pour signaler leur arrivée. Il s'avéra que Richard venait surtout l'après-midi et utilisait des patronymes différents pour ne pas trop attirer l'attention sur sa présence. Il ne voulait pas figurer tous les jours sur le registre. Les policiers de l'entrée étaient complices, mais pas ceux qui intervinrent à cause de l'alarme, ce qui expliquait ce quiproquo.

Richard resta dîner, et Ursula et moi préparâmes des pâtes. Diana nous regarda, fascinée, car elle ne savait rien préparer à part des toasts, des pommes de terre au four et du thé. Plus tard, elle retira une grande fierté de savoir passer un plat cuisiné au micro-ondes. Richard lui confiait les derniers potins sur la famille royale qui couraient dans le milieu de la presse à scandales. Ils plaisantaient beaucoup et elle le taquinait constamment, ce qui ne lui plaisait pas.

Elle pouvait aussi se montrer très désinvolte. Le jour de l'anniversaire de Richard, nous sortîmes déjeuner ensemble et Diana lui offrit un cadeau très impersonnel (une cravate ou un agenda), manifestement pêché dans ses réserves. Richard en fit la remarque et elle eut la délicatesse de prendre un air penaud. Ils étaient comme frère et sœur – ou un vieux couple.

Leurs désaccords portaient généralement sur ce qu'il écrivait sur elle ou qu'elle jugeait qu'il aurait dû écrire ou faire. Par exemple, quand il avoua qu'il avait passé outre ses instructions et n'avait pas voté par téléphone contre la monarchie lors du débat diffusé sur la BBC en janvier 1997, elle fut très agacée.

De son côté, il était très possessif à son égard et lorsque l'acupunctrice de Diana, le Dr Lily, donna une interview à un journal concurrent, il cria à la trahison. En fait, c'était surtout parce que Diana s'était confiée à quelqu'un d'autre que lui. Il n'avait pas vraiment de raisons de se plaindre, car Diana lui accorda nombre d'exclusivités.

L'idée répandue est que Diana était traquée sans merci par la presse. Ce fut exact en bien des occasions. En Italie, elle se retrouva coincée dans la foule, ce qu'elle détestait, et cernée par une meute de paparazzis. Elle racontait que cela avait été le moment le plus effrayant de sa vie.

– C'est comme un viol mental, me disait-elle.

Elle avait atteint le stade où un flash lui faisait l'effet d'une agression physique.

En même temps, Diana n'était pas opposée à la perspective d'utiliser la presse pour exprimer sa version personnelle des choses, et Richard fut son canal privilégié. Si quelqu'un avait publié un papier qui lui déplaisait, elle contactait aussitôt Richard et lui donnait sa réponse. Elle l'appelait à toute heure du jour et de la nuit, et il devint son porte-parole. Par exemple, lorsqu'un journal se répandit sur les extravagances somptuaires de Diana, Richard riposta par un article expliquant qu'elle avait tiré de l'eau un clochard qui se noyait dans l'étang de Regent's Park.

Non seulement il la présentait sous un jour favorable, mais il l'aidait également à préparer ses discours. Elle lui exposait le message à faire passer, il rentrait chez lui, rédigeait un texte qu'il lui faisait porter à domicile. Les discours n'étaient pas trop longs et comportaient la juste dose d'émotion. Il ne chercha jamais à tirer profit de cette précieuse contribution. Son talent ne lui épargna cependant pas les humeurs de Diana. Elle pouvait être très exigeante et prenait vite ombrage s'il ne faisait pas exactement ce qu'elle voulait. Elle se fâchait à la moindre erreur.

Un jour, n'ayant pas apprécié quelques lignes d'introduction d'un article, elle cessa de lui parler et raccrocha violemment lorsqu'il appela. Il me téléphona, paniqué. Je lus l'article et appelai Diana pour lui dire qu'il n'y avait rien de mal dans le texte, qui, au final, lui était très favorable.

Cela ne servit à rien. Richard vint me voir et me fit part de son désarroi : elle lui avait passé un savon et refusait de prendre ses coups de fil. Je pratiquai quelques soins sur lui et Diana appela alors qu'il était encore chez moi.

— Devinez qui est là, lui dis-je.

— Richard... et je ne veux pas lui parler.

Après le départ de Richard, je la rappelai et lui dis qu'elle était ridicule. Qu'elle s'excuse donc d'avoir bouleversé un ami à ce point. Elle resta coite, car s'il y avait une chose que Diana ne faisait jamais, c'était présenter des excuses. Pourtant, elle comprit le message, et, après l'avoir laissé mariner quelques jours, elle le contacta comme si de rien n'était. Il fut soulagé. À l'époque, elle représentait toute sa vie et leur relation dura jusqu'au bout. Richard fut la dernière personne à qui elle parla avant de mourir.

Elle restait tout de même très circonspecte dans ses conversations avec lui. Diana compartimentait ses relations et les différents aspects de sa vie, au point d'avoir plusieurs mobiles, chacun avec un numéro différent pour chaque catégorie de personnes. Elle ne lui parla jamais de Hasnat Khan, terrifiée à l'idée d'une fuite. Quand il découvrit la place qu'occupait le chirurgien dans le cœur de son amie, ce qui était inévitable, Richard se vexa.

La princesse était tout aussi méfiante avec Paul Burrell. Elle l'avait beaucoup apprécié au début, et le taquinait à la moindre occasion. Un jour que nous regardions un documentaire sur la famille royale, Paul apparut brièvement à l'image en livrée de valet de pied. Diana se tourna vers lui et commenta : « Très beaux mollets, Paul ». Il aimait l'attention dont il était l'objet et se donnait un mal fou pour la recueillir. Le plus souvent, néanmoins, elle le tenait à l'écart.

Burrell se rendait régulièrement aux États-Unis pour voir des amis et acheter des dessins originaux de Disney qu'il collectionnait. Quand il traversa l'Atlantique en septembre 1996, c'était avec un tout autre objectif. Il allait à un entretien d'embauche en vue d'obtenir le poste de majordome de l'acteur et réalisateur Mel Gibson. Il ne l'avait pas dit à Diana, mais elle savait ce qu'il mijotait et elle s'en moquait. Ce départ ne l'ennuyait pas car cela faisait plusieurs mois qu'il l'irritait. Il lui rôdait autour, faisait des courbettes, écoutait ses conversations et donnait son avis, tout comme Iago dans *Othello*. Au bout d'un certain temps, elle finit par ne plus du tout lui parler et lui transmettre ses instructions par écrit.

Les relations se corsèrent lorsque Diana le surprit fouillant dans les papiers personnels de son bureau. Son sang ne fit qu'un tour. Son garde du corps, Ken Wharfe, alerté par les éclats de voix, entra dans la pièce et découvrit Burrell, à quatre pattes, en train de baiser les pieds de Diana et d'implorer son pardon.

– Que se passe-t-il ? demanda Wharfe. (Diana lui raconta tout.) Débarrassez-vous de lui tout de suite, madame.

Le lendemain, Burrell vint avec sa femme Maria demander à garder sa place. Elle céda quand il se présenta avec ses enfants en larmes, mais les relations de la princesse et de son majordome ne revinrent jamais au beau fixe.

Ce qui me fascinait, c'était que Burrell soit incapable de tirer les leçons de cette expérience. Quelque temps plus tard, j'intervins pour empêcher Diana de le licencier, ce dont elle avait bien l'intention, l'ayant de nouveau surpris en train d'examiner sa correspondance.

Elle fulminait. Je lui rappelai que, de tous les gens qui l'entouraient, Burrell était le seul qui aurait tout fait pour elle, le seul sur qui elle pouvait compter. Elle aurait pu lui confier sa vie. Il était amoureux d'elle, pas sexuellement, mais d'une manière obsessionnelle, et je suis convaincue que, si elle l'avait congédié, il aurait été capable de se suicider. Elle accepta de le garder, mais leurs relations restèrent tendues.

Un dimanche après-midi, j'arrivai à Kensington Palace et Diana me demanda de l'aider à vérifier les services en porcelaine qu'elle conservait dans une pièce particulière. Elle venait de remarquer que des assiettes et des soupières manquaient, et décida de dresser l'inventaire. J'entrai dans le placard, aussi vaste qu'un dressing et pourvu d'étagères, et vis à ma grande stupéfaction qu'il y avait des dizaines de services, pas de huit ou douze couverts chacun, mais jusqu'à soixante. Je montai sur une chaise et identifiai à voix haute les articles que je repérais tandis qu'elle les cochait sur sa liste. Elle s'emporta en constatant l'ampleur des disparitions.

– On dirait que quelqu'un se monte son service, dit-elle.

Selon Diana, ce genre de pillage était monnaie courante dans les différentes résidences de la famille royale. Elle me parla d'un valet de pied qui avait transformé son appartement en palais, avec des serviettes de bain et des draps volés à Buckingham, les brosses du roi Georges V, une assiette de chaque service de la reine accrochées à son mur, et les verres armoriés de Georges V. Son petit trésor fut découvert par hasard et il reçut une lettre de l'intendance royale rédigée en ces termes : « Nous sommes informés que vous avez en votre possession quelques biens appartenant à Sa Majesté. Veuillez les emballer et les faire porter à l'entrée de service du palais de Buckingham et l'affaire sera close. »

Le valet qui avait volé la bague de mariage de la reine Marie ne fut pas traité avec autant de mansuétude. Il fut envoyé en prison. Diana ne soupçonnait pas Paul de la disparition des assiettes, mais, en tant que majordome, c'était son devoir de veiller à ce que cela ne se reproduise pas. Cependant, le fait que Burrell ait plus d'affaires de Diana en sa possession qu'il ne pouvait le justifier logiquement lui valut de comparaître en justice. Je témoignai en sa faveur, car j'étais la seule personne qui ait vu Diana les lui donner.

J'étais à Kensignton le jour où la princesse faisait un grand ménage. Elle était dans l'ancien bureau de Charles transformé en salle de jeux vidéo pour William et Harry et contemplait un énorme sac-poubelle noir.

— Ne me dites pas que vous faites les poubelles ?

— Non, j'avais juste oublié toutes les cochonneries que nous avions accumulées, répondit-elle.

Elle appela Paul, ouvrit le sac et lui montra ce qu'elle lui donnait. C'était une collection hétéroclite : des vêtements de William et Harry pouvant aller à ses fils, Alexander et Nicholas ; des consoles de jeux Game Boy et Nintendo, des CD dont elle ne voulait plus. Il y avait également quelques robes pour Maria qu'il faudrait raccourcir d'une vingtaine de centimètres pour les mettre à sa taille, et d'innombrables paires de chaussures (elles faisaient la même pointure) et sacs à main. Il n'y avait aucun coffret en acajou, ni l'alliance armoriée de Hewitt, mais je l'avais au moins vue lui donner quelque chose.

L'avocat de Paul, Andrew Shaw, apprit que j'avais été témoin et je lui fis une attestation. La police me contacta également pour une déposition. Je demandai conseil à Shaw, qui me déclara que la police essayait d'obtenir une déposition de tout le monde afin d'annuler toute déclaration antérieure, ce qui m'irrita beaucoup. Mais je témoignai que, connaissant Paul, il s'était probablement monté la tête et, s'il avait pris d'autres objets, c'était dans l'idée de les protéger pour le compte de Diana.

Lorsque Paul m'appela pour me remercier, il se montra très incohérent. Il me raconta que Diana s'était montrée nue devant lui et répétait :

— Diana est avec moi.

Je dus faire preuve de fermeté.

— Diana n'a *jamais* été nue devant vous. Et elle n'est *pas* avec vous. Vous étiez dans le même état quand votre mère est morte. Vous ne vous rappelez pas que vous croyiez qu'elle vous parlait ? Vous vous imaginiez que vous étiez constamment avec votre mère.

Il me demanda alors si je me rappelais certains incidents, car il n'était plus sûr de la réalité de tel ou tel événement. Il était obnibulé par les lettres dans lesquelles Diana confiait ses craintes pour sa vie, mais ces écrits ne lui étaient pas adressés. Quant à l'anecdote de Diana sortant discrètement du palais de Kensington, nue sous un manteau de fourrure, pour aller retrouver Hasnat Khan, elle était un pur produit de son imagination.

Voici comment les choses se sont passées. Diana et moi prenions le thé un après-midi avant un rendez-vous avec son amant.

— Ce serait amusant que j'arrive en manteau de four-rure et bijoux, et rien en dessous, non ? plaisanta-t-elle.

— Imaginez seulement le scandale si la police vous prenait sur le fait ! dis-je en riant.

Burrell était entré à ce moment pour nous servir le thé. Il nous avait entendues et avait mal interprété nos propos. Diana n'avait même pas de manteau de four-rure. Elle détestait cela et avait donné le seul qu'on lui avait offert. Il était bien injuste de sa part de suggérer que la princesse qu'il prétendait adorer aurait pu être assez délurée pour sortir en pleine nuit, dans le plus simple appareil, et prendre le volant de sa voiture, mais tout était très confus dans l'esprit de Paul. Il était manifestement très stressé et me confia qu'il était sous antidépresseurs.

Je dois avouer que j'étais moi-même assez tendue. Pour me préparer au procès de Burrell, Jeremy Britten, de la BBC, me fit visiter le tribunal d'Old Bailey. Nous entrâmes dans la salle numéro 1 et il m'expliqua où je serais placée, où se trouveraient les journalistes et où se trouverait Paul. J'allai aussi repérer le service des témoins de la cour pénale, où les témoins attendent leur tour. Les erreurs judiciaires me révoltent, et mon attitude aurait été la même qu'il se soit agi de Burrell ou de Charles.

Shaw avait l'intention de m'utiliser comme témoin surprise, car mon témoignage allait éveiller des doutes dans l'esprit des jurés sur le bien-fondé de l'accusation. Je dus attendre pendant des jours qu'on m'appelle, mais finalement, je n'eus pas à comparaître. L'affaire fut enterrée quand la reine se rappela brusquement que

Burrell l'avait prévenue qu'il détenait des biens confiés par Diana.

Son intervention tombait à pic, Paul ayant accumulé des informations qui auraient causé un énorme tort à la famille royale.

Après le décès de Diana, il avait vu la mère de celle-ci, Frances Shand Kydd, armée de sa bouteille de vin, trier les papiers de Diana et en détruire un grand nombre (elle avoua au tribunal entre cinquante et cent) afin de « protéger » la réputation de sa fille. Je sais que Diana consignait ses pensées dans un journal intime cadenassé. Il ne fut jamais retrouvé. Pas plus que ces infamantes cassettes, ni les documents hautement confidentiels qu'elle m'avait montrés et qui, j'en suis sûre, existent toujours et restent à découvrir.

Par exemple, qu'est-il advenu des lettres ordurières du prince Philip ? Je ne peux que spéculer sur leur sort, mais si Burrell, qui connaissait bon nombre des secrets de Diana, avait dû témoigner, je crois qu'il en aurait révélé sur la famille royale bien plus qu'elle n'aurait pu en supporter.

Se trouver en compagnie de Diana, c'était côtoyer un être qui débordait de bonne humeur et d'enthousiasme. Il est triste que tout se soit terminé d'une manière aussi sordide, avec domestiques et famille se chamaillant sur les bribes de sa mémoire. Ce n'était pas ce qu'aurait souhaité Diana, et elle aurait été horrifiée de la peine que ce cirque causa à William et Harry.

– 17 –

LE DERNIER ÉTÉ

D'après ce que j'ai pu observer, le membre de la famille al-Fayed qui adorait réellement Diana n'était pas Dodi, mais son père Mohamed.

Il aurait fait n'importe quoi pour elle. Il la couvrait de cadeaux, ne cessait de prendre de ses nouvelles par téléphone et, lorsque l'occasion se présenta, mit à sa disposition tout ce que sa fortune permettait – et ce bien avant que son fils ne la fréquente.

– Vous n'avez jamais songé qu'il pourrait être amoureux de vous ? questionnai-je un jour.

– Il a l'âge d'être mon père, gloussa-t-elle, et on ne peut pas dire qu'il ait des propos très coquins avec moi. Chez lui, il doit y avoir des micros partout, même dans les savons. Mais il me fait rire.

Et lorsqu'il lui faisait quelque présent, elle l'acceptait sans forcément s'interroger sur ses motivations.

Ce fut bien sûr avec Dodi qu'elle eut une relation, mais je ne suis pas sûre qu'ils aient couché ensemble, même s'ils dormaient dans le même lit. Il avait trop de problèmes, et Diana n'était pas d'humeur à jouer les Florence Nightingale du sexe. Ce qu'elle voulait, c'était rendre Hasnat Khan jaloux et elle pensait que le play-boy Dodi était idéal pour cela.

Ils partirent ensemble en vacances à Saint-Tropez, où elle était invitée par Mohamed. Elle connaissait bien les al-Fayed, en particulier Mohamed, un ami de son père, le comte Spencer. Les deux hommes n'auraient pu être plus différents. Lord Spencer était un aristocrate de la vieille école, tandis que Mohamed était un Égyptien vulgaire, qui avait fait fortune dans le commerce au Moyen-Orient avec l'aide de son beau-frère, le marchand d'armes Adnan Khashoggi, pour devenir le très riche propriétaire de Harrod's, le grand magasin le plus prestigieux du monde. La différence de milieu ne semblait pas gêner lord Spencer, qui aimait faire ses emplettes chez Harrod's et appréciait la générosité de Mohamed et son sens de l'humour.

Diana ne s'en formalisait pas davantage. Elle savait très bien que Mohamed n'appartenait pas à la bonne société et que les gens n'étaient aimables avec lui qu'en raison des faveurs qu'il leur accordait, mais elle le prenait pour ce qu'il était : un homme bourru, excessif, et un brin dangereux. Elle avait eu la sagesse de ne pas suivre sa suggestion d'emmener William et Harry visiter l'ancienne maison du duc de Windsor au Bois de Boulogne, dont il était propriétaire.

— Mon intuition m'a soufflé de ne pas prendre trop de risques avec lui, m'expliqua-t-elle.

Mais elle me confia également qu'il l'avait beaucoup soutenue après la mort de son père, ce qui comptait énormément.

Dodi était d'une tout autre trempe. Il était bien plus faible que son père et on le disait cocaïnomane, ce qui rendait les relations avec lui parfois difficiles. Mais il était d'une prévenance extrême, ce qu'appréciait Diana. Le prince Charles l'avait considérée comme une gamine susceptible, Hewitt comme un objet sexuel, Oliver Hoare comme une espèce de trophée, et Hasnat Khan n'avait pas le courage de s'engager auprès d'elle. Dodi, pour sa part, la traitait comme une princesse.

Il la flattait, exauçait le moindre de ses caprices et se rendait totalement disponible pour elle, ce qui la changeait considérablement de ce qu'elle avait connu jusque-là. Les autres hommes de sa vie voulaient s'approprier une partie de Diana sans pour autant lui accorder toute leur attention en échange. Dodi en était capable. Il savait aussi comment traiter les femmes. Quand il disait « Sortons dîner », il l'emmenait en jet privé au Ritz, à Paris, et elle trouvait caché sous sa serviette un bracelet Cartier. C'était une cour appuyée, à laquelle il était difficile de résister, et Diana tomba sous le charme. En outre, il était bel homme et bien élevé, doté des bateaux, voitures et autres jouets de riches grâce auxquels il n'avait pas de mal à la distraire.

Je la mis en garde de ne pas se laisser envoûter par le charme superficiel des al-Fayed. Tout comme Rosa Monckton, qui déclara :

— Je lui ai fermement déconseillé de partir en vacances avec eux.

Diana n'écoutait pas. Elle avait prévu d'aller en villégiature chez la styliste américaine Lana Marks, mais ce projet fut annulé en raison d'un deuil dans la famille. Ce n'était pas facile pour elle de trouver une destination d'un claquement de doigts. Impossible d'appeler une amie et de lancer : « Partons quelque part. »

Cet été-là, elle avait envisagé d'accepter l'invitation à séjourner dans sa maison en Thaïlande que lui avait faite le magnat indien de l'électronique Gulu Lalvani.

Le milliardaire américain Teddy Fortsmann la suppliait aussi de venir à sa résidence des Hamptons au large de Long Island. Elle avait rencontrée en 1994 ce grand patron de l'aéronautique par le banquier lord Rothschild lors d'un dîner à Spencer House, la demeure familiale des Spencer à Londres, sur Green Park.

— J'ai été flatté qu'elle ait lu des articles sur moi, se souvenait-il.

Après le dîner, elle demanda à Forstmann de l'accompagner à une soirée donnée à l'Annabel's, le night-club de Mayfair baptisé ainsi en l'honneur d'Annabel Goldsmith. Ils devinrent amis et, lorsque Diana s'envola avec Lucia Flecha pour Martha's Vineyard, ils devinrent partenaires de tennis. À plusieurs occasions, il mit à sa disposition son jet privé, un Gulf Stream 5. Mais lorsqu'il refusa de lui accorder 21 millions de livres (environ 32 millions d'euros) pour financer un hôpital, leur amitié platonique se trouva compromise.

Elle décida finalement d'aller à la villa tropézienne des al-Fayed : elle y bénéficierait du soleil, d'un yacht (Mohamed en avait acheté un tout exprès pour sa visite) et de gardes du corps qu'elle estimait suffisamment entraînés pour protéger sa vie privée. L'atmosphère familiale qui y régnait et dont elle avait besoin compta pour beaucoup dans sa décision.

— Je me sens à l'aise et en sécurité, expliqua-t-elle.

Elle me rappelait Jackie Onassis. En effet, tout en s'amusant avec extravagance, elle se rebellait contre toutes les restrictions qui avaient marqué son existence. Diana ne prêtait aucune attention au reste du monde, tout comme la veuve du président Kennedy lorsqu'elle épousa l'armateur grec Aristote Onassis. Bien que cela ait provoqué des remous à l'époque, elle n'en avait pas démordu. Elle n'aimait pas qu'on lui dicte sa conduite. Diana non plus. Quand elle avait une idée fixe, si elle était convaincue d'avoir raison, il n'y avait pas moyen de la faire changer d'avis. Elle appelait cela « son instinct » — et c'est ce qui la conduisit dans le sud de la France, puis à Paris.

Le problème, c'est que tout s'était brusquement emballé. Mohamed s'était mis en tête de lui faire épouser son fils ; Dodi, toujours sous la coupe de son père, obéit docilement et plaqua Kelly Fisher, un mannequin américain. Si Mohamed était devenu le beau-père de la mère du futur roi d'Angleterre, on en aurait fait des gorges chaudes. Mais ce n'était nullement l'intention de Diana.

Ce n'était pas parce que Dodi était de nationalité étrangère ou musulman. C'était le cas de Hasnat Khan et elle aurait tout abandonné pour lui s'il avait eu le courage de la demander en mariage. Mais elle désirait Hasnat. Elle était attirée par beaucoup d'autres hommes. Elle trouvait David Hasselhoff d'*Alerte à Malibu* « très sexy ». Pour elle, John Travolta avait du « magnétisme » et un soir, nous eûmes une longue discussion sur David Duchovny, l'agent Fox Mulder des *X-Files*.

— Vous croyez que je pourrai avoir un homme aussi beau gosse que lui ? me demanda-t-elle. (Elle le trouvait irrésistible. Moi aussi. À quoi elle répondit :) Simone, je refuse de croire que nous aimons le même type d'homme.

— Non, c'est vrai, répondis-je. Parce que jamais je n'aurais épousé Charles.

Malgré toutes ses qualités, Dodi ne jouait pas dans la même catégorie que Duchovny. Il ne plaisait pas vraiment à la princesse. Pour parler sans détour, ce n'était tout simplement pas son genre.

Diana avait croisé Dodi durant des matches de polo à Windsor à la fin des années quatre-vingt, puis revu en 1991 à la première du film de Spielberg, *Hook*, qu'il avait contribué à produire, mais l'homme ne l'avait guère impressionnée. Diana était très franche concernant ses relations et nous discutions beaucoup de ses rencontres et des hommes qui lui plaisaient. Elle ne m'a jamais parlé de lui.

Frances Shand Kydd avait noté que Dodi était couvert de poils et que Diana n'aimait pas cela.

— Qu'est-ce que vous pensez des hommes qui ont des poils dans le dos ? me demanda-t-elle un jour.

— Qu'on dirait des gorilles, répliquai-je.

C'était une plaisanterie. Diana précisa qu'elle n'aimait pas non plus les chauves. Quand bien même, je trouvais que c'était une curieuse question, ce qui m'amena à penser plus tard que la relation de Dodi avec Diana n'était pas aussi intime que tout le monde le croyait.

Diana n'était pas du genre à sauter dans un lit sans hésiter. Elle avait besoin de connaître son prétendant, de le respecter, et, plus important, d'en être amoureuse au préalable. Les différences entre Dodi et elle étaient tout simplement trop importantes pour qu'ils puissent trouver un terrain d'entente. Il se levait tard ; elle était debout aux aurores. Il était paresseux ; elle était toujours sur la brèche. Il était frivole ; elle était sérieuse.

Et puis il flirtait avec la cocaïne, ce qui n'améliore pas les performances sexuelles. Diana connaissait cette drogue. Elle en avait constaté les effets et était très consciente des problèmes que pose une relation avec un narco-dépendant. Nous en avions longuement discuté, tout comme des difficultés qui surviennent lorsque des énergies produites par la drogue s'insinuent dans l'aura et commencent à brouiller votre existence. C'est dangereux et elle n'aurait jamais accepté cela.

Ce n'est pas qu'elle n'appréciait pas l'homme que le prince Philip qualifiait avec mépris de « coureur de jupons graisseux », car il était très clair qu'elle aimait bien Dodi — mais ce n'est pas parce qu'on est bien avec quelqu'un qu'on doit coucher avec. Quand je revins de Bosnie, Diana me demanda où j'avais dormi et je lui racontai que j'avais partagé le lit de Morris Power, de la

Croix-Rouge. Nous étions amis, rien de plus, et ce n'était pas un problème pour moi (mais cela lui en posa peut-être un, car j'étais très bavarde et il avait vraiment besoin de sommeil). Diana me comprenait tout à fait.

— Je croyais être la seule à avoir ce genre de relations, déclara-t-elle.

Si elle avait vraiment eu une liaison, elle en aurait parlé à quelqu'un, car elle était incapable de garder pour elle une telle nouvelle. Elle aimait parler de ses expériences charnelles avec ses amies. Sur ses ébats avec Dodi, elle ne dévoila jamais rien, probablement parce qu'il n'y avait rien à dire.

Ce qui les réunit pendant ces quelques brèves semaines de 1997, en dehors du plaisir qu'ils trouvaient dans leur compagnie réciproque, était la détermination de Diana à lui faire abandonner la drogue. Dodi était devenu sa mission du moment. Elle était la thérapeute et lui le patient. Ce qui ne constitue guère une raison de se marier.

Elle devait également tenir compte des vœux de ses fils. Comment auraient-ils pris la nouvelle ? Pas très bien, à mon avis. Cela leur avait plu de s'amuser sur la Côte d'Azur lors de ces premières vacances, mais ils étaient tous les deux très anglais et préféraient un style de vie plus traditionnel. L'existence selon la jet-set, c'était fabuleux pendant quelques jours, mais pas au quotidien.

Sans doute Mohamed aurait-il remué ciel et terre pour lui donner ce qu'elle désirait si elle avait accepté d'épouser son fils. Il lui aurait acheté des maisons, affrété des avions et financé ses œuvres caritatives, mais Diana savait pertinemment qu'elle serait plus efficace dans ce domaine si elle travaillait en toute indépendance en tant que princesse de Galles, plutôt qu'en devenant prosaïquement Mme Dodi al-Fayed, employée de son beau-père. En outre, elle était bien trop fine pour épouser quelqu'un si vite après le traumatisme de sa première union.

— Ayant été mariée à un homme qui était sous la coupe de sa mère, faisait-elle remarquer, pourquoi irais-je épouser un homme qui est sous celle de son père ?

Elle avait des désirs fantasques, comme tout le monde, mais elle était très réaliste quand il s'agissait de son avenir. Elle avait passé assez de temps avec la famille al-Fayed pour constater que les dispositifs de sécurité auxquels tenait tant Mohamed étaient plus étouffants que ceux en vigueur dans la famille royale. À ce stade, Diana tenait surtout à son indépendance.

— Je ne veux pas qu'on m'achète, j'ai déjà tout ce que je désire, expliqua-t-elle à Rosa Monckton.

Elle espérait également échapper aux regards curieux qui la suivaient partout en Europe. Les paparazzis lui rendaient la vie infernale.

— C'est comme si j'étais un poisson dans un bocal et que tous ces gens venaient me regarder sans que je puisse rien faire d'autre que de tourner en rond.

Se dissimuler derrière une armée de gardes du corps ne lui convenait pas plus. Elle s'était d'ailleurs débarrassée des officiers des services de protection royale et elle n'avait aucune envie de se retrouver dans une prison dorée.

Elle projeta sérieusement de s'installer aux États-Unis. Elle m'expliqua qu'elle n'y connaîtrait aucune contrainte et s'y sentirait plus libre. Elle s'était renseignée sur les législations en matière de vie privée et avait appris qu'elle pouvait avoir des gardes sans qu'ils empiètent sur ses allées et venues. Ils pourraient habiter sur sa propriété, mais ils ne la suivraient pas partout comme son ombre, comme l'avaient fait les policiers de Scotland Yard et comme le faisaient désormais les gardes du corps de Mohamed.

À l'origine, Hasnat faisait partie de ce plan, mais lorsqu'il sortit de sa vie, Diana continua sur sa lancée. Elle était enthousiaste à l'idée de s'installer en Amérique, éprise qu'elle était de démocratie, de liberté d'expression et de grands espaces — sans compter, me fit-elle remarquer, que la vie y était bien moins chère qu'en Grande-Bretagne.

Elle recourut aux services d'une discrète agence immobilière qui lui envoya des brochures sur de magnifiques maisons, pour la plupart en Californie. Un jour que je passais à Kensington, je les vis entassées sur son bureau. Nous les étalâmes par terre dans son boudoir. Certaines étaient vastes, même par rapport à sa résidence actuelle, avec salle de sport, court de tennis et piscine, et des bureaux séparés, agencement idéal pour ses œuvres humanitaires. Deux de ces propriétés jouissaient même de leur plage privée. Quelques-unes étaient tape-à-l'œil, et guère à son goût, mais la plupart étaient magnifiques.

— Les garçons adoreront, dit-elle.

Et avec les vols quotidiens depuis Los Angeles, elle pouvait sans problème passer à Londres les voir à la fin d'un trimestre, ou eux venir en visite durant les vacances.

Une maison retenait son attention, qui avait appartenu à Julie Andrews et son mari, le réalisateur Blake Edwards. Du style d'une hacienda mexicaine, elle était bâtie sur un terrain de deux hectares et donnait sur une plage qui ne disposait pas d'autre voie d'accès. Sur la colline au-dessus de la maison se dressait une salle de sport vitrée ouvrant sur le Pacifique. Quand, entre deux visites de Diana en France, Mohamed apprit l'intérêt qu'elle portait à cette demeure, il l'acheta, soi-disant pour Dodi, mais en fait comme éventuel cadeau de noces pour le couple.

Cela ne pouvait que contrarier Diana. Elle voulait son petit nid à elle et répétait :

— Si je m'achète une maison, je veux qu'elle soit à moi et moi seule.

Pas question d'habiter chez quelqu'un d'autre, comme depuis qu'elle avait quitté son petit appartement de jeune fille de Colherne Court, à Earls Court, pour emménager dans des palais appartenant à sa belle-mère.

— Je veux que ma maison soit à mon nom, désormais, répétait-elle.

Ce n'étaient pas des paroles en l'air. Elle comptait vraiment se fixer et recommencer sa vie. Avec le temps, elle l'aurait certainement fait. Elle en avait assez de la Grande-Bretagne. La « firme » lui mettait des bâtons dans les roues, elle avait toutes les raisons de penser que le gouvernement de Tony Blair l'avait abandonnée.

Avant d'accéder au pouvoir, Tony Blair s'était mis en tête de se lier avec Diana. Il l'avait invitée chez lui à Islington, et elle l'avait trouvé magnétique et séduisant à sa manière, mais c'était sa femme, Cherie, qui l'avait intriguée. Diana faisait remarquer qu'elle avait un visage disproportionné et une bouche étrange, mais elle ajoutait :

— Il ne faut pas s'arrêter là-dessus, il faut voir où elle est arrivée dans un monde d'hommes. Et lui reconnaître le mérite d'avoir réussi.

Elle était fascinée par les femmes de pouvoir et le fait que Cherie menât une brillante carrière d'avocate suscitait son approbation. C'était un exemple, disait-elle, des sommets que les femmes peuvent atteindre si elles s'en donnent la peine. Elle nourrissait cependant des sentiments ambivalents à son égard en tant qu'épouse du Premier ministre : elle était convaincue que Cherie portait la culotte dans le couple et se méfiait un peu d'elle.

Ils déjeunèrent souvent ensemble et Diana s'entendait bien avec ses enfants. Elle amena les siens un jour et ils jouèrent au football dans le jardin avec Euan, qui était du même âge que Harry. Après l'une de leurs entrevues, elle demanda à son astrologue Debbie Frank de dresser les thèmes de Tony et Cherie, car elle voulait savoir s'ils étaient bons pour le pays – et pour elle.

Quoi qu'il en soit, leur relation resta superficielle et ce qu'ils pouvaient avoir en commun s'estompa rapidement. Étoile montante puis leader du Parti travailliste,

Blair émit toutes sortes de promesses devant la princesse. Il lui fit miroiter notamment un poste d'ambassadrice itinérante s'il remportait les élections. C'était exactement ce qu'elle désirait et elle aurait fait merveille dans cette fonction. Elle rencontra également le stratège de Blair, Peter Mandelson, et le nouveau ministre des Affaires étrangères Robin Cook, qui fut touché par son charme et son dévouement. Tout le monde s'empressait de vouloir mettre Diana « sur les rails », comme ils disaient.

— Enfin, je vais pouvoir me rendre utile, me confia-t-elle.

Arrivé au 10, Downing Street, Blair oublia ses engagements. Il aurait pu en parler à la reine dès sa victoire, comme il l'avait garanti. Diana ne manquait jamais à sa parole. Tony Blair n'était pas aussi pointilleux. Elle l'appela plusieurs fois et souleva la question quand elle alla le voir à Chequers, la résidence secondaire des Premiers ministres britanniques, accompagnée de William et Harry. Elle me téléphona de là-bas pour me dire que l'endroit était ravissant, la cuisine délicieuse, et qu'elle passait un agréable moment. Mais chaque fois qu'elle mentionnait le poste promis, il éludait. Après un dernier coup de fil infructueux à Blair, elle me confia :

— On est en train de m'écarter, c'est tout. Je n'aurai pas le poste.

Encore une trahison. Le Parti travailliste prétendait toujours se soucier du bien-être général, et personne n'aurait pu mieux s'acquitter de cette mission que Diana. Connue dans le monde entier, respectée universellement, elle aurait accompli des miracles pour le renom de la Grande-Bretagne en ambassadrice itinérante, chargée d'attirer l'attention sur les souffrances de la planète.

C'était réellement son vœu le plus cher, non pas pour en tirer une satisfaction personnelle, mais parce qu'elle éprouvait une compassion sincère pour autrui. En dépit de la désinvolture de Tony Blair, elle était toujours aussi déterminée à continuer, même si cela l'obligeait à agir selon ses propres moyens. Dodi al-Fayed n'était tout au plus qu'un interlude, et elle allait bientôt se lasser de lui.

Mais le destin s'en mêla et, à 00 h 23, le 31 août 1997, elle se tua dans un accident de voiture à Paris, Dodi à ses côtés.

Selon le réalisateur-enquêteur David Cohen, qui tourna pour Channel 5 le documentaire *Diana : La Nuit tragique*, un sac à main contenant de la cocaïne avait été retrouvé sur la banquette arrière de la Mercedes accidentée. Le sac et son contenu disparurent mystérieusement.

On avait fait goûter cette drogue à Diana une fois et elle avait juré de ne jamais en reprendre. Elle était la seule personne dans cette voiture qui pouvait avoir un sac à main, mais s'il contenait réellement de la cocaïne, c'est qu'elle l'avait confisquée à Dodi.

Aider les autres fut sa vocation existentielle – jusqu'à son dernier instant.

– 18 –

LA FIN

La nuit du 31 août 1997, je m'étais couchée tôt, contrairement à mes habitudes, et je dormais profondément quand une amie m'appela pour me dire que Diana avait été victime d'un accident de voiture.

Il était très tard, mais je sautai de mon lit, courus mettre mes lentilles et allumai la télévision.

Les premiers rapports disaient qu'elle avait une fracture à la jambe, mais j'eus un terrible pressentiment. Ce fut comme un poids sur l'estomac, et un frisson désagréable qui me parcourut de la tête aux pieds.

J'avais éprouvé cette même sensation au matin de la mort de mon père. Je m'étais rendue en voiture chez mes parents et j'avais dit à mon père que quelqu'un mourait dans la maison avant la fin de la journée. Ma mère était très malade, elle souffrait d'un cancer, mais mon père, que tout le monde disait fort comme un Turc et qui venait de passer un check-up, refusa de me croire.

À 16 heures, il eut une crise cardiaque et fut emmené d'urgence à l'hôpital. Je l'y accompagnai. J'attendais à son chevet quand m'apparurent les esprits de mes grands-parents, décédés depuis longtemps. Ils semblaient se dresser devant un lumière diffuse, mais éclatante. Ils l'attendaient et vers minuit, il rendit le dernier soupir, quitta son corps et alla les rejoindre.

Je le vis disparaître dans cette lumière. Quand je baissai les yeux vers le lit, je vis le corps de mon père. Il semblait avoir trouvé la sérénité. J'expliquai à Diana ce que j'avais vu et elle déclara qu'elle avait éprouvé quelque chose de semblable lorsque son père était mort. Elle considérait la mort comme une partie du cycle vital et, si la c'était la fin de l'être physique, ce n'était pas celle de l'être spirituel.

Malgré cette pensée réconfortante, je fus terrassée par le choc quand ma prémonition fut confirmée et que le présentateur annonça que la princesse de Galles était décédée des suites de ses blessures. Diana m'avait toujours dit qu'elle ne ferait pas « de vieux os », et qu'elle était certaine de « mourir jeune et de mort non naturelle ».

Troublant que sa prédiction se réalise ; durant toute la semaine suivante, je végétai dans un état second. Je baignais dans l'irréalité : le monde tournait autour de moi sans que j'y prenne part. Diana avait été ma confidente, quelqu'un avec qui je pouvais partager mes pensées et mes craintes, et je l'avais aimée comme une amie. Les contes de fées sont censés connaître une fin heureuse. Celui-ci s'était conclu par une tragédie.

Ce qui rendait ma peine plus difficile encore à endurer, c'était que Diana et moi ne nous étions pas parlées au cours des dernières semaines. Nous nous étions déjà querellées, mais la dernière dispute en date était très mesquine. J'étais allée soigner une connaissance commune et j'avais appelé le palais ensuite. Diana n'étant pas là, j'avais laissé à Paul Burrell un message demandant que Diana me rappelle. Il m'avait dit que je semblais fatiguée.

— Pas plus que d'habitude, avais-je répondu, avant de commettre l'erreur de lui dire qui j'étais allée soigner.

Diana me rappela à peine elle fut rentrée. Elle était furieuse et me demanda pourquoi j'avais bavardé avec Burrell. Je niai, expliquai que Burrell avait exagéré et que je lui avais seulement révélé l'identité de mon client.

— Vous n'auriez pas dû lui parler du tout, rétorqua-t-elle. Ce n'est pas un ami, c'est un domestique.

Nous nous téléphonâmes plusieurs fois au cours des jours suivants, sans nous raccommoder. Après sa mort, Burrell consulta l'agenda de Diana et choisit la liste de personnes conviées aux obsèques. Je ne fus pas retenue, mais franchement, j'en fus soulagée, car je savais que ce serait un véritable cirque médiatique.

Je restai donc chez moi et suivis les funérailles à la télévision en compagnie d'une autre amie de la princesse, et nous pleurâmes quand Elton John entonna *Candle in the Wind,* chanson écrite en hommage à Marilyn Monroe, qui, comme Diana, était morte jeune, laissant une image à jamais pétrifiée dans la beauté de sa jeunesse. Diana n'aurait pas apprécié la comparaison. Elle admirait le sens de l'humour de Marilyn, et aurait bien voulu être dotée d'une silhouette aussi féminine, mais c'était de Jackie Onassis qu'elle se sentait l'émule.

En cette journée tragique, il était impossible de ne pas être bouleversé, et nous allumâmes un cierge en sa mémoire. Puis nous allâmes sur Hendon Way regarder passer le cortège. Nous portions l'une et l'autre des bouquets, la foule nous poussa en avant et nous touchâmes la voiture.

Ce fut un moment poignant, terni par le regret de voir combien tous essayaient de s'approprier un fragment de sa mémoire, sans prendre en considération ce que la princesse elle-même aurait voulu.

Elle m'avait dit qu'elle voulait être inhumée dans la concession familiale des Spencer. Au lieu de quoi, cette femme qui aimait le monde entier fut condamnée à la solitude d'une île au milieu d'un lac.

Elle aurait aimé que l'on construise un hôpital ou un hospice à son nom. Cela aurait constitué le mémorial le plus approprié en témoignant de son dévouement à la cause humanitaire. Ses amis n'ignoraient pas quels étaient ses vœux, mais ils la trahirent dans la mort comme ils l'avaient trahie dans la vie et édifièrent une fontaine commémorative dans Kensington Gardens. Diana aurait été horrifiée qu'on gâche 3 millions de livres (environ 4,5 millions d'euros) dans un monument inutile – et qui fut si mal conçu qu'il resta souvent fermé au public.

Tony Blair tenta d'accaparer le désespoir qui s'empara de la nation pour servir ses desseins politiques.

La façon dont furent traités ses filleuls fut tout aussi scandaleuse. Elle parlait fréquemment d'eux, les adorait comme ses propres enfants, et tenait à ce qu'ils connaissent chacun un bon départ dans la vie. Elle l'avait clairement exprimé dans son testament, mais sa famille refusa d'en tenir compte.

Peut-être était-ce inévitable. Son appartenance à la famille royale l'avait définie et elle eut beau essayer de prendre son destin en main, elle ne se libéra jamais d'une institution qui existait bien avant son arrivée et qui lui survivra longtemps.

Aussi immuable qu'elle soit, la famille royale ne put pas pour autant s'abstraire de l'héritage de Diana. Le deuil qui accabla toute la population témoigne de l'effet qu'elle eut sur les Britanniques : la Couronne s'inclina devant les pressions de l'opinion et rendit hommage à cette femme souvent capricieuse, parfois difficile et irritable, mais qui fut toujours une femme de cœur. Nous sommes aujourd'hui un pays plus humain. Nous avons abandonné notre raideur et appris à exprimer nos sentiments. Pour moi, le mérite en revient largement à Diana. Et c'est ainsi qu'elle aurait aimé qu'on se souvienne d'elle : comme de la femme qui aima les autres et leur apprit à s'aimer.

Composition DV Arts Graphiques
28630 Nogent-le-Phaye

Impression réalisée sur CAMERON par

BRODARD & TAUPIN
GROUPE CPI
La Flèche

*pour le compte des Éditions Michel Lafon
en juin 2005*

Imprimé en France
Dépôt légal : juillet 2005
N° d'impression : 30826
ISBN : 2-7499-0325-4
LAF 752